JN081627

コミュニティと芸術

パンデミック時代に考える創造力

横山千晶

慶應義塾大学教養研究センター選書

表紙写真：ROA《鶴（Crane）》、2010年、著者撮影

目　次

はじめに

　2020年。日本にとってこの年は、「東京2020」のオリンピック・パラリンピック競技大会の年となるはずだった。それがCOVID–19元年として人類の記憶に刻まれる年となった。新型コロナウィルスは私たちの生き方と思考そのものを急速に変え、今もその変化は進行中である。根底からのパラダイムシフトは局地的なものではない。人の長距離移動が容易となった時代に、新型コロナウィルスによる感染はパンデミックとなり、世界の人々が同じ恐怖と、価値観の変化を共有することになった。

　私たちはこの新たな変化の中に身を置きつつも、過去を振り返ることで、人類の歴史は感染症との共存の歴史であることを自覚した。人もウィルスも自然の一部である。人間もその自然のごく一部に過ぎず、自然のなせる技をコントロールすることはできないという事実を私たちは受け入れる必要があった。

　そして私たちは今まで以上に情報の選択が迫られる時代に生きている。危機的な状況の中でどうやって自らと愛する者たちを守っていけばよいのか。錯綜する情報の中で、だれの声に耳を傾けたらよいのかを探りつつ、各自の判断が迫られることになった。情報を流す側と選択する側の無責任は、さらなる感染の拡大を引き起こした。

ついで私たちは人間という生き物について思いを致すことになった。社会的な生き物である私たちは社会的距離（ソーシャル・ディスタンス）の標語のもとに、接触を制限された。遠隔での作業が、通勤や通学、対面での意思伝達という日常にとって代わることになった。美術館や劇場は閉鎖され、ライブコンサートに行くこともできなくなった。会話し、ふれあい、食事するという日常の交流が困難になった。その代わりにコンピューターの画面が新たなつながりの場所となった。社会的な生き物というアイデンティティを守るために、私たちはバーチャルな交流の可能性を享受すると同時に構築する側にもなった。子供時代に思い描いていた未来が、感染症のおかげで意外と早く現実になったと豪語しながらも、場と時間を身体的に共有できない寂しさは否定しようもない。また各国、各地域、各階層のIT環境やITリテラシーの格差も顕わになった。

　社会的な生き物として、私たちは日常を支えてくれていた人々、今も支えてくれる人々の存在を意識することになった。不要不急の行動を控えるように諭される一方で、生きていくうえで必要不可欠な物資と補助を提供する人々がいる。彼ら・彼女らの存在を通して、私たちはこの社会のいびつな構造についてあらためて学ぶことになった。今まで通りの日常を続けていこうとする欲望はだれかの犠牲のもとで成り立っている。他者と共に生きていくことを考える。そこから新たなコミュニティの意義が立ち上がってくる。

感染症に対峙することは人間の生命力と柔軟性の鍛錬の場ともなった。そこから新たな創造の場も生まれる。感染症が人を選ばないのだとしたら、共通の経験を経ながらもそこに複数の物語が生まれる。人々はそれぞれの表現力を使ってその物語を共有し、記録して後世に伝えてきた。歴史は教えてくれる。感染症は新たな創造力の源泉ともなってきたのだと。五感を駆使する様々な表現力の成果である芸術は、今回、今まで以上に人々をつなぐ強力なツールとなっている。

　このささやかな本の着想は、もともとはパンデミックの出現前に温めていたものである。「東京2020」のオリンピック（Tokyo 2020）の重要な要素であり、一部でもある文化オリンピアード構想は、全都道府県の地域活性化を、スポーツのみならず文化プログラムを通して実現することと、日本の文化芸術への参加を通して若い世代の創造性を育成することを目指していた。2020年のスポーツ大会に向けて、すでに2016年から様々な文化イベントが各地域で開催されている。この文化オリンピアード構想の土台は2012年のロンドンオリンピック（London 2012）である。筆者の意図は、2016年から動き出したTokyo 2020文化オリンピアードの現実を、イギリスの文化政策とLondon 2012との比較に基づいて批判的に捉えつつ、文化とコミュニティの関係性の真に創造的な在り方を読者と共に考察することにあった。この二つの要素の関係は一過性のものとして終わらせてはいけない。オリンピックの終わったあとにこそ、継続し

て必要となるものだと考えたからである。

　結局、Tokyo 2020は延期となり、予定されている2021年夏の開催も3月現在すでに危うい。

　しかしこれは嘆くに値しない。私たちにはあらためて考え直す時間が与えられた。オリンピックという国際的な舞台を利用することで、文化芸術活動が産業として地域の活性化につながるということ。また日本固有の文化を若者世代に伝えることで新たな創造力を引きだし育成するということ。その意味と意義は何なのか。これらの当初の目標は、今回のパンデミックを通して考察すると新たな価値、そして問題を明らかにする。その価値とは日本オリンピック委員会や東京2020組織委員会が規定するものでもなければ、都や地方自治体によって押し付けられるものでもない。いや、むしろ今回のパンデミックは、私たちに当事者として、これらの意義と問題を考える必要を促している。

　芸術活動が、地域の活性化に大きな役割を果たすことは、まちづくりのアドバイザーとして世界的に活躍するチャールズ・ランドリー（Charles Landry, 1948–）が2006年にすでに明らかにしている。

　　芸術に参加することは、例えばスポーツやほとんどの科学といった分野では使われない想像力の範疇を大いに必要とする。（中略）芸術は内省や独創的な考えに焦点を合わせることでより広い影響力を及ぼすことができる。そして既存の考えに異議

を唱え、（多くの場合）意見の交換を必要とする。町の目指すものが自発的で創造的な場所を内包することであるのなら、それぞれの人に考えてもらう機会を与えなくてはならない。想像しているものを現実や目に見える形に変えていくということは創造的な行為である。だからこそ、芸術は他のほとんどの行為にもまして、創造力、発明、革新につながるのである[1]。

　世界の人々と未曾有の危機と経験を共有している今こそ、私たちはランドリーの述べる影響力の発芽をこの手中に収めていると言える。このパンデミックの中で私たちは今一度、内省と個人の考えに向き合う時間を得た。今まで当然の権利として享受してきた文化芸術の意義と、地域コミュニティとそのインフラを支えている人々の存在について新たな見地を手に入れることができた。そうやって構築した個人の立場と思いを、これもまた新たに手に入れた発信のツールを使って世界の人に伝え、受け取ることができる。そしてこのパンデミックの時代に言語という壁を越え、世界の人々が共有している問題意識に視覚と聴覚を通して直接働きかける伝達のツールとして、芸術に課される役割は大きい。

1　Charles Landry. *The Art of City Making*. London: Sterling, VA: Earthscan, 2006, p.250.（筆者訳。なお、本書で掲載する引用の訳文は、筆者によるものか、翻訳書を参照し筆者が修正を加えたものである）

これからこの本の中で考察していくテーマは、パンデミックの時代における社会と芸術の関係性である。第1章では、このパンデミックが提示した課題を通して私たちの社会意識やコミュニティに対する意識と意義はどう変化したのかを見ていく。続く第2章では、芸術がどのように社会意識の変化、およびコミュニティの意義と関係を切り結ぼうとしているのかを考察する。ここでは、新たな社会的課題から見えてくる二つの芸術の公共性に焦点を絞る。一つ目は既存の公共芸術に注目する。公共の場に置かれた作品が、私たちの社会意識の変化の中で「公共」の意義を失いつつあることを、銅像や記念碑に対する破壊行為を例として見ていく。第二に、様々な社会問題が意識される中で新たな公共性を帯びてきたストリート・アートの表現力と人々を巻き込む力に焦点を当てる。町という大きなキャンバスの中で公共の芸術の意義が大きく変化してきたのである。

　続く3章と4章では、パンデミックの中で明るみに出た各国の芸術に対する意識の違いに基づいて、文化芸術と社会経済の関係を読み解いていく。日本を含め各国の文化芸術に対する意識の違いは、Tokyo 2020の文化オリンピアードに対する見方を一新する。パンデミックの中で各国が取った文化芸術の緊急支援は、芸術の社会における、そして経済システムにおける位置の指標でもある。そのことを確認したうえで、Tokyo 2020がモデルとするLondon 2012の文化オリンピアードの成果と影響を今一度検証する。London 2012に大きな影響を与え

たイギリスの文化政策と創造産業の歴史を跡付けること
は Tokyo 2020 とそれ以後の文化政策を考える手助けに
もなる。そのためには、成果のみならずイギリスの文化
政策の課題こそ、考察する必要があるだろう。芸術の産
業化は分野の囲い込みと地域のブランディングと直結す
る。その功罪は何だろうか。

　最終的に本書ではこの社会に生きる当事者としての私
たちが、個人の持つ創造力をどう理解し、発揮していく
のかについて考えていく。「クリエイティブ」という言
葉が氾濫する現在、その真意を私たちはどう捉えるべき
なのか。それはアーティストなどの一部の人々だけにそ
なわったものなのか。第5章では、人間の存在意義をこ
の「クリエイティブ」な力に求める例として、ノーベル
賞作家、カズオ・イシグロの『わたしを離さないで』を
取り上げ、「創造力」という両刃の剣を検証したい。

　これまでの公共芸術にせよ、Tokyo 2020 の文化オリ
ンピアードにせよ、上からのお仕着せの創造性が破綻・
失速する中で、私たちは個人として自らの創造力を意識
し、その力をあらためて発動させている。そして、アー
ティストたちも創造力の可能性に気が付いた人々につな
がり、芸術の力で、新しい社会を築こうとしている。歴
史の中で文明の発達はペストなど、様々な感染症を生ん
できた。その過程で今までの常識や権威は崩れ、市民た
ちは協力して新たな文明と社会を構築してきた。今私た
ちが経験していることは、人類の歴史の中の一歩に過ぎ
ない。危機の時代は常に新たなものが生まれ出る出発点

でもある。この本がその小さな産声の一つとなれば幸い
である。

第1章
パンデミック時代のコミュニティ

1-1 「4つの階級」

　2020年は、様々な意味で忘れられない年となるだろう。人類が考えもしなかった新型コロナウィルスの感染は、あっという間に世界に広がり、医療体制や科学技術のみならず、あらためて社会の抱える諸問題を浮き彫りにした。ウィルスは人を選ばない。しかし、その強い感染力は、社会的弱者を真っ先に襲うことになった。

　5月2日付の『ニューヨーカー』誌（ウェブ版）の記事は、コロナウィルスはアメリカ内に4つの新しい階級を作り出した、と伝える[2]。まず一つ目はオンラインの環境が整い、自宅でも仕事を続行できる「リモート作業が可能な人々（the Remotes）」である。続いて「エッセンシャルな人々（the Essentials）」。この言葉も今回のパンデミックで私たちにとってはおなじみの言葉となった。医療の最前線で日々体を張ってコロナウィルスと

2　Robin Wright. "Is America's 'One Nation, Indivisible' Being Killed Off by the Coronavirus?" *The New Yorker*, 2 May 2020, https://www.newyorker.com/news/our-columnists/is-americas-one-nation-indivisible-being-killed-off-by-the-coronavirus（2020年5月3日閲覧）。

戦っている人々や、私たちの日々の生活やインフラを支えてくれる人々である。食品加工に携わる人々、警察官、スーパーマーケットで働く人々、ごみ収集や清掃、公共交通の運行に関わる人々。そしてオンラインによる買い物が増えると、配達する人々も必要不可欠である。自粛中も彼ら・彼女らの存在があるからこそ、私たちはかなり快適な暮らしの持続が可能となっている。もちろん医療従事者をはじめ、パンデミックの犠牲者たちにはこのエッセンシャル・ワーカーたちが大勢含まれている。

　三番目は失業者や今回のパンデミックで職場そのものが閉業や一時閉鎖に追い込まれ、再開の見込みが立たないまま「無給状態が続く人々（the Unpaid）」である。世界中で、レストランや美容院などのサービス産業や交通関係、旅行産業が痛手を受けている。他国に比べ、日本はまだ都市封鎖を経験していないとはいえ、2021年3月2日発表の総務省統計局のデータによると、2021年1月の完全失業者数は197万人。前年の同月よりも38万人多く、この12か月間、連続で増加傾向にある[3]。完全失業者の定義は、調査期間中に仕事をしておらず、仕事先を探している人を意味しているので、自粛のために雇用形態が変わり、賃金を大幅にカットされたり自宅待機となってしまったような人々やパートタイムの労働者を含むと実際の生活困窮人口や失職人口はさらに多いということが予想できる。

　最後の四番目は「忘れられた人々（the Forgotten）」である。記事がここで挙げるのは、ホームレスの人々、

移民労働者（この中にはエッセンシャル・ワーカーも大勢含まれるが、不法移民も多く、彼ら・彼女らの労働力は劣悪な環境の中で搾取されている）、老人ホーム入所者などの高齢者、刑務所に収監されている人々、そしてアメリカ先住民の人々などである（しかも同記事によると、ナバホ・ネーション［居留地］での死亡率は全国的に見ても非常に高い）。

いったん社会の主流から切り離されてしまった人々は人目に触れることがない。しかし、今回の新型コロナウィルスの感染は、あらためて今まで忘れられてきた人々の存在を明るみに出した。なぜならウィルスが真っ先にその刃を向けたのがこれらの「忘れられた人々」だったからである。もともと体力のない高齢者や、衛生状況が劣悪の刑務所や路上生活者用のシェルター入所者、不法移民収容所の入所者、低所得者層を構成する少数民族グループや移民労働者たちは、家族であれ、仲間同士であれ大人数が狭い空間をシェアしている／させられていることが少なくない。ウィルスは、今まで忘れられていた

3　総務省統計局ウェブサイト「労働力調査（基本集計）2021年（令和3年）1月分結果」、2021年3月2日公表、https://www.stat.go.jp/data/roudou/sokuhou/tsuki/index.html（2021年3月11日閲覧）。失業者の内訳は、特に非正規雇用と宿泊業・飲食サービス業が目立つ。2020年12月25日に発表された11月の結果では、政府の Go To キャンペーンなどで宿泊業・飲食サービス業の就業者数は10月の前年同月比較での43万人減から29万人減ともちなおしたが、同キャンペーンの停止によって、39万人減と悪化している。

人々に襲い掛かり、そこから外の世界へと感染経路を広げていった。今回のパンデミックは、社会的な弱者をはからずも外の社会へとつなげることで、彼ら・彼女らの存在と現状を知らしめることとなったのである。

1−2 「人種差別こそがパンデミックである」

世界に広がる BLM 運動

　分断された社会の構造は、忘れられてきた問題にも光を当てた。警察の黒人に対する暴力が発端となって、世界的な運動へと広がった Black Lives Matter 運動も今回のパンデミックと別問題ではない[4]。黒人や有色人種ではエッセンシャル・ワーカーとして人々の生活を支え、新型コロナウィルスの犠牲者を数多く出している社会層に属している人々が多い。失業率もこれらのマイノリティの人々の間で高く、自粛緩和のあとの再雇用率も低い。

　これはアメリカのみならず、他国でも見られる傾向である。オーストラリアでは、今回の BLM 運動を受けて、先住民のアボリジニに対する警察の暴力問題や社会的な差別に新たな光が当てられることになった。イタリアでは、移民第二世代の国籍取得（特に有色人種）の難しさ

4　村上春樹氏は2020年のラジオ番組で BLM と呼ばれるようになったこの言葉を、「黒人だって生きている」と訳した（TOKYO FM「村上 RADIO サマースペシャル〜マイフェイバリット・ソングス＆リスナーメッセージに答えます」、2020年8月15日のラジオ放送［16:00〜16:55］での発言）。

という差別問題がようやく脚光を浴びるようになった[5]。

このような差別問題は今に始まったことではないが、大きく報道されることはなく、報道されてもすぐに忘れられるか、見て見ぬふりをされることで、世界的なニュースや共感に広がることはなかった。各文化圏での差別問題は点にとどまり、面となることはなかったのである。しかし、報道の在り方は今回のパンデミックを通して大きく変わった。私たちの生活を支えている人々はパンデミックと共にまさに「エッセンシャル」な存在となった。彼ら・彼女らの犠牲とその不当な扱いを、あらためて多くの人々が社会問題として意識するようになったのである。同時に各文化圏で同じような差別が存在しているという事実は、アメリカにおける人種問題のみならず、少数者に対する差別問題への抗議として BLM 運動を捉えなおすことを可能にした。こうして、運動はコロナウィルスの蔓延と共に、「人種差別こそがパンデミックである」、との声となって世界の人々を立ち上がらせることになったのである。

ヨーロッパ諸国で人々は、黒人差別の根源を奴隷貿易に求めた。奴隷貿易で栄えた港町、イギリスのブリスト

5　この問題も長年議論の対象となってきたが、これまでマスメディアで大きく取り上げられることはなかった。この問題については以下を参照のこと。Isabella Clough Marinaro and James Walston. "Italy's 'Second Generations': The Sons and Daughters of Migrants." *Bulletin of Italian Politics*, vol.2, no.1, 2010, pp.5–19.

ルでは、2020年6月7日、「慈善家」のエドワード・コルストン（Edward Colston, 1631–1721）の像が引き倒され、ブリストル湾に投げ込まれた。この問題が特に話題となったのは、この町のアイデンティティとして、「コルストン」の存在があまりに広く深く根を下ろしていたからにほかならない。コルストンはブリストルに多大な寄付を行い、その名を公共の建物や学校や通りの名称に残している。もちろん、その寄付の出どころが多くの踏みにじられた命であることから、彼の名はおおやけに掲げられるべきではないことを、長年一部の人々が訴えてきたのだが、BLM運動によってその声は一気に勢いを得たわけである。

　この動きは、町の歴史とアイデンティティの見直しそのものにつながっている。そして文化もそこから距離を置いているわけにはいかない。ブリストルの芸術活動の中心であり、歴史的建造物として町のアイコンでもあったコルストン・ホールは、2020年6月15日に建物の正面からCOLSTON HALLの文字を取り外した。9月23日に発表された新しい名称は「ブリストル・ビーコン（Bristol Beacon）」である。その名の通り、ブリストルの新たな灯台として、人々を集める中心的な存在となっていくのろしが上げられたと捉えることができるだろう。

　コルストンと同じように、奴隷貿易でイギリスの町に富をもたらした様々な篤志家たちの像が、落書きや破壊の憂き目にあった。同時に現在イギリスでは、若い世代に今まで詳しく教えられてこなかったイギリス史の暗部、

つまり奴隷貿易と植民地政策の真実を教育の中で伝えていこうとする動きが起こっている。ブリストルの町でも、奴隷制度の歴史やアフリカ文化を教育内容に積極的に取り入れていく計画が立ち上がっている[6]。

見えない他者が顕在化する

私たちが一般にコミュニティと呼ぶ身近な生活圏や共同体の中味は、実は非常に重層的である。しかし、その各層が緊密に交流しているわけではない。見えない人々、つまり「忘れられた人々」の層は、今回の新型コロナウィルスの感染拡大が掘り起こさない限り見えてこない。新型コロナウィルスは、私たちの社会を形作る折り重なった層の断面をあらためて明るみに出した。この中で、私たちは、人々との関係性を見直し、自分がだれによって支えられてきたのかの確認を迫られることとなった。感染の危険性によって、他者とどうやって共存していくのかを模索し、だれの犠牲のもとで自分の生活が可能と

6　ブリストルでは、アーツ・カウンシル・サウスウェストの支援を得て、学校教育で奴隷制に抗い自由を勝ち得たアフリカ人の歴史を取り上げるプロジェクトが始まっている。Tristan Cork. "Bristol Project to Teach History of African Resilience in Schools Gets Big Arts Council Backing." *BristolLive*, 18 June 2020, https://www.bristolpost.co.uk/news/bristol-news/bristol-project-teach-history-slavery-4239938で閲覧可能（2020年9月20日閲覧）。また、植民地時代の歴史を義務教育の中で伝えていく動きは、イギリスのみならずヨーロッパでも始まっている。ドイツも第二次世界大戦後のコロニアリズムの歴史教育を義務化しようとの運動が2020年の秋から高まっている。

なっているのかを思い知るに至った。

　その意味で、社会的距離は狭まったと言いたいのはやまやまである。しかし、現実はそう甘くない。IT環境の整備とオンラインの台頭は同じ層にいる人々の社会的距離を縮めることには成功している。しかし、IT環境の格差により、社会的弱者との距離はますます広がるばかりである。存在は見えてもつながることは容易ではない。

　2020年11月の大統領選挙に向かうアメリカ合衆国は、コロナウィルスの感染が、BLM運動などの社会問題と連結した結果、さらにコミュニティ内の分断を広げていった紛れもない例、しかも国家規模での例となった。冒頭で紹介した『ニューヨーカー』の記事では、「忘れられた人々」の一つとしてアメリカ先住民を挙げている。アメリカ開拓のプロセスで先住民が押し込められた居留地は、医療体制が整っておらず大都市からも離れている。また既往症状を抱えている人々が多数いるために、感染により重篤化するケースが全米の人口平均で見ても非常に多い。今まで先住民族は、その歴史の中で多くの部族を失ってきた。コロナウィルスによって壊滅的になる先住民族のネイションが出てくることに警鐘が鳴らされている。

　そして、現在、忘れられた人々の存在はさらに世界規模で広がり、文明社会から切り離された数多くの民族が部族単位で消滅する危機が現実のものとなっている。ブラジルのアマゾンに住む先住民や、第二次世界大戦中に

日本の占領下にあった、アンダマン・ニコバル諸島（インド洋のベンガル湾南部に位置する）に住む先住民族たちは、そのほんの一例である。ユネスコも国連も、この問題に注目し、後者は、2020年3月の時点で世界の先住民族が新型コロナウィルスの危機にさらされていることを「COVID–19と先住民族（COVID–19 and Indigenous Peoples）」のタイトルのもと、ホームページ上で警告し、先住民族に関して発表されている各国の主だった記事や報告書、各国の公共サービス情報を読むことを可能にした[7]。

1 – 3　変化する「コミュニティ」の意味

コミュニティの多義性

　私たちの身近な生活圏、および仕事や趣味でつながる仲間を指すコミュニティの概念も今回のパンデミックで大きく変化しつつある。

　実際にコミュニティという言葉ほど、ここ何十年かで急速に意味を変化させ普及してきた言葉もないだろう。社会批評家で作家のレイモンド・ウィリアムズ（Raymond Williams, 1921–1988）が、時代を読み解く『キーワード辞典』の中で述べるように、14世紀にこの言葉が英語の中に定着してから、community は「平民」、

7　United Nations Web Site "COVID–19 and Indigenous Peoples." https://www.un.org/development/desa/indigenouspeoples/covid-19.html（2021年2月22日閲覧）。

「(比較的小規模な) 国家や組織化された社会」、「ある地域の人々」、「共通の特質（利害や共有財産）」、「アイデンティティや特質を共有しているという感覚」など広範な意味を帯びてきた。ウィリアムズは、「コミュニティ」と「社会（society）」が明確に区別されるようになったのは、19世紀に入ってからと言う。18世紀までは個人にとって身近な存在であった「社会」は、産業革命ののち拡大し複雑化することで、個人にとって遠い存在となり、「コミュニティ」は直接的な共通関係や様々な種類の共同組織という、より具体的な形式に使われる傾向が出てきた。そのように規定したうえで、ウィリアムズは次のように言う。

> おそらくなによりも大切なことは、この語は社会組織を指すほかのすべての言葉（state、nation、society など）と違って、否定的に使われることは皆無であり、明確に反対する、あるいは区別する用語を提示されることもまったくないと思われる点である[8]。

『キーワード辞典』は1976年に初版が出版され、1983年に改訂版が出版されている。それからおよそ40年の間に community はさらに意味を変えていった。『オクスフォード英語辞典（OED）』を見ると、19世紀の終わりから、community の複合語があまた登場する。この辞典が1989年から20年後にアップデートされた際には、

community をベースとした複合語や熟語は66例も挙げられている[9]。

　遠隔によるコミュニケーションが日常化した現在は、SNSやオンラインによる意思伝達は、対面での会話にとって代わりつつある。OED によると、online community という言葉が使われるようになったのは1977年からということだが、the online community と定冠詞を付けると「組織」の意味合いは薄れ、コンピューター（特にインターネット）のネットワークを使う人々を集合的に指す言葉とされている[10]。すでにコミュニティはバーチャルな領域での地位を確実なものとし、空間や時間の共有という、かつての条件は希薄になってきている。

　この中で、「コミュニティ」という言葉が内包していた身体的な親密感や、ウィリアムズが述べていたような肯定感は失われていったことも事実である。バーチャルなコミュニティに住む顔の見えない無数の存在が、個人を追い詰め、その命をも奪う事件も多発している。同時

8　Raymond Williams. *Keywords: A Vocabulary of Culture and Society*. Revised Edition, OUP, 1983, p.76. 本書には翻訳がある。レイモンド・ウィリアムズ『完訳　キーワード辞典』、椎名美智他訳、平凡社、2002年（引用の箇所は73頁）。

9　"community-" を使った形容詞に至っては、1914年以降、枚挙にいとまがないほど作られてきていることを OED は示している（オンライン版の "community" の項［2009年9月にアップデート]）。

10　OED の "online" の項目（2017年9月にアップデート）。

にバーチャルなコミュニティで流される虚偽報道も新たなコミュニティを生み出した。2016年以降「フェイク・ニュース」をキーワードとしたドナルド・トランプは、自ら真偽の定かでない情報や陰謀説をツイッター上で次々と流し、同調する「トランピアン（Trumpians）」の集合体を作り上げた。

　一方で、バーチャルとリアルの共存を積極的に推し進める動きも継続して存在してきた。世界で起こっている様々な出来事は、インターネットやソーシャルメディアを通して、世界中で共有可能となった。マスメディアが拾うことのできない個人の声は、世界の人々に届くことで、一地域の問題を世界の人しが共に考える問題とし、リアルな支援提供につながった。教育の現場では、一方で遠隔教育や資料の電子化を進めることで、今までは大学など特定の機関に属する人々だけの所有物であった「知」の財産を、多くの人と共有する道筋を整えてきた。その一方でフィールド・ワークによる直接の経験や感情的・身体的・芸術的な体験が、座学や一方向的な知識の授与に対する補完的な役割を担うものとして、意識的に教育カリキュラムの中に導入されてきた。

　しかし、2020年のパンデミックが、身近な他者との空間の共有を不可能とした結果、このバーチャルなコミュニティは、唯一の親密なコミュニケーションの場とならざるを得なくなった。その結果、この新たなコミュニティは思ってもみない勢いで構築され、それまでバーチャル・コミュニティに足を踏み入れたことのない、もし

くは足を踏み入れることを避けてきた人々をメンバーとして迎え入れることとなった。これらのコミュニティは多くの人々の創造力と経験に基づいた新たな知見と工夫のネットワーク化により、日々生まれ、発展し、使用者自らがオンラインのコミュニティの構築と運営に寄与している。

パンデミックは今までも変化してきたコミュニティの意味をまたしても変えつつある。人々の身体的な交流が不可能となった時にバーチャル・コミュニティは、すでに時間と空間を共有するコミュニティを補完するものではなく、その場の時間と空間を共有できていた時の人間の感覚を少しでも再現し、私たちもそこにリアルなものを感じようとする場となっている。近い将来、新型コロナウィルスとの共存が可能となった時に、時間と空間を共有する場としてのコミュニティはどうなるのだろう。バーチャル・コミュニティとの関係はどうなっていくのだろう。この二つの連動からさらにまた新しいコミュニティの形態が生まれ出る可能性もあるだろう。その未来に向けて構築すべきコミュニティをめぐる議論がこれからますます活発になっていくことだろう。

一方、新たなコミュニティの速やかな構築の前に、ウィリアムズが示した community と society の区別も、息を吹き返しつつある。今なお、アメリカ社会のみならず世界中を巻き込んでいる BLM 運動は、「ブラック・コミュニティ（black community）」と今までの「社会正義（social justice）」を相対するものとした。ブラッ

ク・コミュニティが求める正義は、社会の変化を要求する。そしてブラック・コミュニティはすでに黒人たちだけではなく、BLMに賛同する多くの人々をリアルに、そしてバーチャルにつなげるより大きなコミュニティに育っている。

社会的距離・身体的距離の中で芸術の果たす役割

　今まで見てきたように、新型コロナウィルスの感染拡大は、見えないウィルスと見えなかった社会問題を可視化し、見えない未来を想像し、そこに向かって今どのように対処していったらよいのかの結論を下し、解決法を編み出す人間の創造力を刺激した。そして、感染の拡大を防ぐために他者との共存を私たちにあらためて意識させ、共存の障害となっている社会問題を乗り越えることで、新しい生活圏や世界観の必要性を突き付けた。

　その中で鍵となってくるのが、新たな表現法と伝達法である。言葉を越え多くの人々と共有できるメッセージを伝えるツール。それこそが「芸術」の新たな役割であろう。

　「はじめに」で取り上げたランドリーの言葉は、町の再生における芸術の役割を強調する。芸術とは様々な表現媒体を使って他者とつながるスキルだと捉えれば、ランドリーの言葉は、社会的距離・身体的距離をとることを余儀なくされた私たちが、新たなコミュニティを構築する際にもあてはまるだろう。その中では、社会やコミュニティの変化と同じように、芸術の表現法と手段も変

26

化してきている。

　公共のための芸術の現状とその役割の変化を次の章で考察してみたい。

第2章
パンデミックと新たな公共芸術

2−1　公共の資産としての芸術
──コロナウィルスと各国の文化政策

　コンピューターによる遠隔作業が、2021年3月現在の私たちの日常となってからすでに一年以上が経とうとしている。友人との会話や、オンラインによるリモートワークや教育だけではない。新型コロナウィルスは芸術の世界も大きく変化させることになった。舞台芸術は、舞台と客席からなる箱・空間の中で、時間とその場の空気をアーティストが観客と共有することで生まれるのであり、その中で醸成される作り手と受け手のコミュニティが芸術の創造者である。2020年の春に、そういった場と時間の共有が不可能となった。

　同時に芸術に対する人々の意識の違いをパンデミックは明確に示すことになった。芸術は「不要不急」のものなのだろうか。各国で医療崩壊が起こり、世界規模の経済危機が発生する中で、芸術の重要性を議論することは妥当なことだろうか。

　ロックダウンと自粛により美術館や劇場、オペラハウス、コンサートホールが次々とその扉を閉ざすと、いくつかの国はすぐさま芸術支援に乗り出した。「アーティ

ストは、今、生命維持に必要不可欠な存在だ。」2020年3月23日にそう述べたのは、ドイツ連邦政府のモニカ・グリュッタース文化相である。ドイツは同日、零細企業と自営者への緊急支援の500億ユーロ（6兆円）を芸術・文化領域への支援にも適用することを発表した。それだけではない。6月3日にアンゲラ・メルケル政権は1,300億ユーロの経済支援策に合意し、そのうちの10億ユーロ（1,200億円）以上が新たに文化・芸術支援に充てられることになった。

　ドイツに続いて3月24日にはアーツ・カウンシル・イングランドが1億6,000万ポンド（216億円）を芸術活動の緊急支援に回すことを発表した。フランスではすでに舞台芸術や映画産業のフリーランス労働者が失業手当を受け取ることのできる「アンテルミタン・デュ・スペクタクル」という制度があるが、文化省は第一弾緊急支援策として2,200万ユーロ（26億円）の支出を発表。音楽、民間の舞台芸術、美術関係でもそれぞれ1,000万ユーロ、500万ユーロ、200万ユーロの緊急支援を発表した[11]。

　日本の芸術支援は大幅に遅れ、国が動き出す前に東京

11　3月終わり時点でのヨーロッパをはじめとした各国の芸術支援策に関しては、以下を参照のこと。藤井慎太郎「遅れ際立つ日本。世界各国の文化支援策まとめ」『美術手帖』、ウェブ版、2020年4月1日、https://bijutsutecho.com/magazine/news/headline/21598（2020年9月25日閲覧）および、藤井慎太郎「コロナウィルス時代の芸術。いま、何がなされるべきか？」『美術手帖』、ウェブ版、2020年4月4日、https://bijutsutecho.com/magazine/insight/21623（2020年9月25日閲覧）。

都や京都市などの地方自治体が独自の芸術文化支援を開始した[12]。ようやく国家指針が出たのが6月の終わり、文化庁の発表は7月6日となった。第二次予算補正案でコロナ対策として約560億円が芸術文化の支援に充てられることになったのである。これは金額的にはイギリスの3月時点での支援の2.5倍と大きく上回っているものの、その数値は国が芸術文化をどれほど重要視しているかの指標とは言えない[13]。劇場・美術館の閉鎖に加えて、イベントの中止など、いつまで続くのかわからない活動の完全停止の中で、アーティストたちの窮状は明らかだった。まずは上から動き、状況を見て予算を追加していく国と異なり、日本は専門省やアーツ・カウンシルなどの文化政策執行の専門機関が欠如している。それだけではない。国家の芸術観そのものが異なるのである。経済と社会への来たるべき打撃とカタストロフを前にして、文化と芸術の位置付けに対する意識の違いが明るみに出た。

　それにしても、ドイツの芸術支援の素早さとその緊急支援の金額が破格であることは注目に値する。「アーティストは、今、生命維持に必要不可欠な存在だ」という文化相の言葉が示すように、それは個人と国家の命にかかわることなのである。同時にここで「アート」ではな

12　「東京から鳥取まで。行政によるアーティスト支援事業まとめ」『美術手帖』、ウェブ版、2020年5月2日、https://bijutsutecho. com/magazine/insight/21829（2020年9月30日閲覧）。

13　その後、7月にイギリス政府は追加の支援策として15億7,000 ポンド（2,100億円）の追加予算を発表している。

く、「アーティスト」、つまり創造者・伝達者としての人間の存在が、他者が生きていくうえで必要不可欠であるという訴えに注目したい。芸術は、目に見えない存在ではなく、作り出す人間の形をとっている。その創造者、制作者は社会の一員なのであり、その存在が他の構成員を生かしている。続けてグリュッタース文化相の言葉を借りれば「クリエイティブな人々のクリエイティブな勇気」は人々が「危機を乗り越えるために役立つ」のである。

　目に見える一人ひとりの人間を芸術というカテゴリーや芸術産業というシステムの上に置くというヨーロッパの姿勢は、社会や経済のシステムを動かす個人こそを尊重するという民主主義の精神に基づいている。そして新型コロナウィルスが明らかにしたことは、まさにこれらのシステムを動かすのに無くてはならない個人、つまり必要不可欠な（エッセンシャル）労働者たち（ワーカーズ）の存在である。金融資本よりも大切なものは人間であり、その人間の健全な発達と自由意志を尊重し、社会経済の民主的な運用を目指すことは、ヨーロッパの思想に深く根付いている。

　今回この社会経済のシステムの安定をもたらす要素の中にアーティストがしっかりと位置付けられたと言える。人間の自由意志とその表出を促す民主主義の根幹に芸術は存在する。そしてアーティストたちはこの混乱の時代にあって私たちの思いの代弁者であり、共感者である。アーティストのおかげでパンデミックの渦中にあって、

私たちはあらためて生きていくうえで何が自分にとって重要なものであるのかを考える時間を与えられた。身体的距離を保ち続けることは人を殺しはしない。しかし社会的距離を取り続けることは、人の精神を、ひいては社会の中でのその人の存在を殺すことになる。人間は人とのつながりなしには生きてはいけない。芸術、つまり想像力に基づく創造的な営みは、人と人をつなぐ手段、コミュニティ構築の手段である。その中で生み出されるものは私たちにとっての公共の財産である。

2−2 《ゲーム・チェンジャー》
──ストリート・アートの新たな役割

公共芸術の破壊──差別の象徴として

芸術は、同時に「忘れられている」社会問題を新たにあぶりだすツールとなった。

その一つはすでに述べた公共空間（パブリック・スペース）に立つ銅像や記念碑をめぐる議論と破壊行為である。これらの彫像は鑑賞される作品と言えるかどうかに関しては、意見が分かれるところであろうが、多くの人々の目に触れることを目的に、町や国の設立と繁栄に多大な貢献をした人物や出来事を称えて、芸術家たちが制作した公共芸術（パブリック・アート）であることには違いない[14]。つまり、町や国の歴史の象徴、あるいはその歴史を共有するアイデンティティの確認のためにその財源と目的がトップダウンで（政治的な意味も大いに

含みながら）据えられた作品と捉えることができる。

　歴史観の見直しの中で、これらの立像の位置付けは、議論の的となってきた[15]。アメリカ合衆国では長年問題視されてきた南北戦争当時の連合国の旗、そしてロバート・E・リー将軍や第18代大統領のユリシーズ・グラントの銅像は、ドナルド・トランプが政権をとり、これらの記念碑やシンボルを擁護することで一気に議論の的となった。そして、2020年に BLM 運動が盛り上がる中で標的となったのは、これらの人種差別主義者や奴隷制度推進者の像である。対象は黒人差別にとどまらない。先住民から土地を奪い、命を奪い、結局その過去の蛮行が現在のコロナ禍のもとで、ネイティブ・アメリカンの

14　1960年代後半にアメリカで生まれた public art という概念は現在でも OED では項目となっておらず、その定義は今もって議論の対象である。この言葉の定義の難しさは、*The Practice of Public Art* の編者である Cameron Cartiere と Shelly Willis が序文の中で次のように述べている通りである。「パブリック・アートの明確な定義がないことは美術（fine art）の分野での位置を理解するうえで最も大きな妨げとなっている。そして定義しようとする試みもまた、厄介な課題となってきた」（Cameron Cartiere and Shelly Willis. Introduction. *The Practice of Public Art*. Eds. by Cameron Cartiere and Shelly Willis, Routledge, 2008, p.3.）。そのうえで Cartiere は21世紀初頭時点での public art を以下の4つの点から定義している。1. 誰でもがアクセスでき見ることができる（in public）、2. コミュニティや個人に対して関係性や影響力を持つ（public interest）、3. コミュニティや個人によって維持され、利用される（public place）、4. 公的資金によって制作される（publicly funded）（Cartiere. "Coming in from the Cold." 同上 , p.15）

多大な犠牲につながっているという議論は、クリストフ
ァー・コロンブスの銅像の引き倒しにつながった。

　記念碑破壊の動きはあっという間に世界に広がった。
ベルギーのアントワープではコンゴを私的な植民地にし、
強制労働を現地の人々に課した国王、レオポルド2世の
立像に赤いペンキがかけられた。そしてその頭部には、
「息ができない」と書かれた布がかけられた（2020年6
月9日に撤去）。

　すでに紹介したブリストルのエドワード・コルストン
の銅像の引き倒しは、奴隷貿易という負の遺産に目をつ
ぶり、慈善家としてのコルストンに町のアイデンティテ
ィを託すことをめぐる長年の議論が一気に炎上した結果
である。イギリス国外ではコルストンやエディンバラの

15　*A Companion to Public Art* の序論の中で、Cher Krause Knight
　　と Harriet F. Senie は記念碑（memorials）を非常に長い歴
　　史を持つ public art のカテゴリーと規定したうえで20世紀に
　　なってから、モダニズムの台頭と共にその意義が様々な議論
　　の対象となってきたと述べている。そしてそれを踏まえたう
　　えで、記念碑は、それぞれ建てられた時期の国民意識を映し
　　出していると論じている。Cher Krause Knight and Harriet
　　F. Senie. Introduction. *A Companion to Public Art*. Eds. by
　　Cher Krause Knight, Harriet F. Senie, and Dana Arnold,
　　John Wiley & Sons, 2016, p.42. また、以下の論文ではニュー
　　ヨーク市に建てられた奴隷制度廃止論者、ヘンリー・ウォー
　　ド・ビーチャー（Henry Ward Beecher, 1813-1887）の銅像を
　　めぐる人々（特に大学生）の議論について詳しく論じている。
　　Jennifer Wingate. "(IN)FAMOUS: Contemporary Lessons
　　from History's Heroes." *The Routledge Companion to Art in
　　the Public Realm*. Eds. by Cameron Cartiere and Leon Tan,
　　Taylor & Francis, 2020, pp.164-174.

奴隷貿易の擁護者、ヘンリー・ダンダス（Henry Dundas, 1742–1811）の名を今回の銅像破壊やヴァンダリズムで知ったという人も多いのではないだろうか。

奴隷貿易が廃止されたあとは、帝国主義と植民地の時代が続いた。その名残もまた、数多くの議論を呼び起こす。オクスフォードのオリオル・コレッジの理事会は、2020年6月17日に正面入り口を飾っていたセシル・ローズ（Cecil Rhodes, 1853–1902）の像の除去を決定した。植民地時代の政治家であり、南アフリカの鉱山産業で巨額の富を母国にもたらし、ローズ奨学金の創設者としても有名なローズの評価は、長年割れていた。第二次世界大戦での名采配で英雄とされながらも、人種差別主義者であったウィンストン・チャーチル（Winston Churchill, 1874–1965 ）の像もヴァンダリズムの標的となった。

もちろん撤去には十分な議論が伴うべきであるし、今までも話し合いは続いてきた。それらの像は、あくまで歴史と歴史観の一部である限り、撤去することで負の歴史が見えなくなってしまうという非難の声も上がっている。負の遺産であるにしても歴史は歴史であり、その影の部分を伝えていく手段は必要である。ブリストルはブリストル湾に投げ込まれたコルストン像を博物館に収めることに決定した。とはいえ、そのような像が、市民の税金によって維持されることに対する反対の声も上がっている。

新たな公共芸術、ストリート・アートと BLM 運動

　新型コロナウィルスと BLM 運動は、このように公共芸術の意義を世界規模で見直すきっかけを与えた。社会的な問題が、その発端となった特定の個人の像に向けられたのだとしたら、同じく特定の個人は象徴として、公共の場で展開されるもう一つの芸術、ストリート・アートに新たな役割を与えた[16]。公共・私有の建造物の壁面を無断に使ってペンキやエアロゾルで絵や文字を描くストリート・アート（グラフィティとも呼ばれる）[17]は、「落書き」であり違法行為である。そのためにアーティストたちは、匿名で活動することも多い。

　BLM 運動に火をつけたのは、2020年5月25日、ミネアポリスで起こったアフリカ系アメリカ人、ジョージ・フロイド（George Floyd, 1973-2020）の警官による暴

16　同じ公共の場に置かれた芸術であっても、違法・非公認という意味で、ストリート・アートは一般に非認可公共芸術（the unsanctioned public art）（Erica Doss. "The Process Frame: Vandalism, Removal, ReSiting, Destruction." *A Companion to Public Art*. p.455）や「ゲリラ的」公共芸術（"guerrilla" public art）（Christiane Paul. "Augmented Realities: Digital Art in the Public Sphere." *A Companion to Public Art*. p.247）などの名称で説明されている。

17　ストリート・アートというジャンルと名称は、明確に定義されていない。もともとは次の頁でも紹介するように、自分の名前やシンボルを書くことから始まったために、アーティストは「ライター」とも呼ばれる。アーティストたちも自分たちの行為をそれぞれの呼称で呼びならわしており、その名称が彼ら・彼女らの体制との関係や社会の中での位置付けとつながっている。本書でも様々な表現が出てくることをご了承願いたい。

行殺人事件である。この事件はフロイドという個人を様々な差別問題の象徴とした。警官による頸部圧迫がフロイドの死因だが、彼が何度も訴えた「息ができない」という言葉は、2014年7月17日にニューヨークのスタテンアイランドで、警察によって、頸部絞め（チョーク・ホールド）によって殺されたエリック・ガーナーが11度にわたって訴えた言葉だった。この悲痛な言葉は、そのまま差別の中で「息ができない」人々の合言葉ともなった。

　同じくケンタッキー州ルイビルで、私服警察の誤射によって殺害されたブリオナ・テイラー（Breonna Taylor, 1993-2020）の銃撃事件（2020年3月13日）も、大きな抗議運動を引き起こした。9月23日には、発砲した三人の警官のうち、二人は不起訴となり、残る一人はテイラー本人ではなく、発砲により隣人を危険にさらした、という理由で起訴されることになった。黒人が警察の暴力によって死に至っても、三年前まで、警察官は有罪になることはおろか、起訴されることもなかったという。今回の起訴は、テイラーに対する発砲に対してではないことからも、また同じ轍を踏んだということになる[18]。ルイビルでは司法当局による発表の前日から、夜間外出禁止令が敷かれた。今回の事件の焦点は、黒人の女性た

18　アメリカ、ABCニュースの特集報道番組、*Turning Point*, 2020年9月24日の放送より。その後、そもそも警官に対する殺人罪の告訴を大陪審が受けていなかったことを陪審員が証言し、ケンタッキー州の司法長官と警察の責任があらためて問われた。2021年1月6日にはかかわった警察官3名のうち2名（1名はすでに免職されていた）が免職処分となった。

ちに対する差別である。"Say Her Name（彼女の名前を唱えよ）"は、ルイビルをはじめ、各地のデモのスローガンとなり、同じ黒人犠牲者の中で、さらに事件の焦点から隅に追いやられる女性被害者への関心を促した言葉となっている[19]。

　もちろん、ジョージ・フロイドとブリオナ・テイラーは、警察の暴力の犠牲となった数々のマイノリティたちの一部に過ぎない。しかし今回この二人、そして二人の名前が差別問題の象徴となったのは、彼・彼女の肖像が公共の壁、あるいは公共の地面を飾ることにより、まさに「イコン」となった点によるところが大きい。7月6日にはメリーランド州アナポリスのチェンバーズ・パークの敷地内に描かれた7,000平方フィートの巨大なテイラーの肖像画（地面に描かれる絵として、ground muralと呼ばれる）が公開された。その上を通る人々は、26歳という若さで将来を文字通り踏みにじられた一人の女性を想い、もしかして、彼女たちの命を知らないうちに踏みつけてきたのは自分であったのかもしれないと考えることだろう。二人を描いた壁画は、黒人や有色人種を抑え込む権力に立ち上がる人々の「聖像」である。この新たなイコンは、一方で差別的な権力の象徴として、破壊されたり撤去されたりする公共の場の立像と好対照

---

19 ジェンダーの問題を含め、日本での運動に至るまで、今回のBLM運動に関しては、以下の雑誌を参照されたい。『現代思想総特集 ブラック・ライブズ・マター』、2020年10月臨時創刊号、青土社。

図1　ジョージ・フロイドを描いた壁画。後光の代わりに描かれるのは平和の象徴のひまわりである。その中央に今まで警察の暴力の犠牲になってきた有色人種の人々の名前が描き込まれている。その名前の上には「我々の名を唱えよ（SAY OUR NAMES）」とある。（参照：*CNN Style*, 12 June 2020, https://edition.cnn.com/style/article/george-floyd-mural-social-justice-art/index.html）ⓒ Polaris/amanaimages

をなしている。

　もともとは、ストリート・ギャングたちの縄張りを示すために名前やシンボルを記したタギング（tagging）から始まった落書き（グラフィティ：graffiti）が、やがて見る側とのコミュニケーションを促すストリート・アートとなっていった過程は興味深い。社会問題の広がりと共に違法であるストリート・アートが新たな公共性を帯びた強力なメッセンジャーとなったのである。新型コロナウィルスはその伝播に拍車をかけた。コンクリートや煉瓦の壁面のみならず、ロックダウンによって閉鎖中の店舗や、デモの過激化に備えた店舗の正面を覆う巨大な防御用木板は、ストリート・アートの格好のカンバスとなった。

　また、都会の道もストリート・アートのカンバスとな

る。2020年6月5日、ホワイトハウス前の16番街の上に巨大な BLACK LIVES MATTER の16文字が出現する（図2）。道幅に沿って二区画分の長さのこのストリート・ミュラルの制作をボランティアに依頼したのは、ワシントンD. C. のミュリエル・バウザー（Muriel Elizabeth Bowser）市長であった[20]。ちょうどジョージ・フロイドの暴行殺人事件のあとで、ワシントンD. C. でもデモが繰り広げられていたころである。このサイン・ペインティングの出現に沿って、ホワイトハウス前の一区画は、「ブラック・ライブズ・マター・プラザ」と呼ばれるようになった[21]。同じ黄色い文字は、7月9日

20　Zolan Kanno-Youngs, Jennifer Steinhauer and Kenneth P. Vogel. "D.C.'s Mayor Fights for Control of Her City at Trump's Front Door." *The New York Times*, 5 June 2020 (Updated 6 Jan. 2021), https://www.nytimes.com/2020/06/05/us/politics/muriel-bowser-trump.html（2021年1月8日閲覧）。

21　大山エンリコイサムは粉川哲夫との書簡の中で、この文字が垂直の壁ではなく足元の道路に書かれたことについて、分断する壁ではなく、人の交流を促すプラザ（広場）を創出し、そこに集まる人々のランダムな行動にホワイトハウスと対峙する方向を与えているという興味深い見解を提示している。同時にブリオナ・テイラーのグランド・ミュラルと同様に、グーグルマップで上空から捉えられることで、これらのアートやサインは地球規模の広がりも見せる。大山エンリコイサム『エアロゾルの意味論：ポストパンデミックの思想と現実——粉川哲夫との対話』、青土社、2020年、75–86頁。筆者は同時に西洋の教会の床面の墓石を思わずにはいられない（通常縦置きの墓石に対して床面に横に置くために ledgerstone と呼ばれる）。足元に墓碑銘があるからこそ、通る人々は同時に（時にその上を踏むことにもなる）亡くなった人々とつながることになる。

図2　ワシントン D.C. 16番街のストリート・ミュラル（出所：
Wikipedia:Muriel Elizabeth Bowser, 2021年1月10日閲覧）

にニューヨークの道路をも占拠することになる。トラン
プ・タワーが面するマンハッタン5番街の延長道路であ
る。この制作はニューヨーク市によるものであり、デブ
ラシオ市長を含むニューヨーク市職員たちが、マスク姿
で黄色いペンキで描いたものであった。のちにトランプ
が「憎悪のシンボル」と呼んだ16文字は、こうして市や
町の公認・非公認にかかわらず、アメリカ各都市の道路
をカンバスとしていき、やがてはカナダやイギリスの路
上へも飛び火していく[22]。

---

22 ストリート・ミュラルはその後もアメリカの各地で形を変えて
　　現れている。セントルイスでは大統領選挙の投票結果を認定す
　　る2021年1月6日の上下両院合同会議で選挙結果に異議を申し
　　立てたミズーリ州のジョシュ・ホーリー上院議員に対して、辞
　　任を求める集会が1月9日にダウンタウンで開かれた。数百人
　　の参加者は、解散の前に旧裁判所前の道路に黄色のペンキで
　　"RESIGN HAWLEY（ホーリー辞めろ）"の文字を皆で描くの
　　みならず、ステンシルで路上にメッセージを残した。

ストリート・アートは公認された BLM 運動の視覚的な抗議声明となったのみではない。コロナウィルス禍の中で静まり返る町を大きなメッセージボードとして、トイレットペーパーなどの必需品の買い占めを戒め、マスク着用を訴え、人々の気持ちを代表して医療関係者に賛辞を贈る。もちろん、人々の命よりも経済や自分の権力に固執する政治家への揶揄や批判も忘れない。違法な芸術は、だれにでも開かれた芸術となり、世界中で公共の声となった[23]。シカゴでは、ストリート・アートの描かれた店舗防御用の木板はそのまま再利用され、大統領選挙ための有権者登録用のブースとなって、人々の政治参加を促すツールとなった[24]。

バンクシーの《ゲーム・チェンジャー》の意味するもの——イギリスの医療を支える人々

　神出鬼没、世界中の壁や建物にそのエアゾロゾルの跡を残している覆面芸術家、バンクシー（Banksy）も、

---

23 "Coronavirus street art–in pictures." *The Guardian*, ウェブ版、2020年4月6日で各国の例を見ることができる。https://www.theguardian.com/world/gallery/2020/apr/06 /coronavirus-street-art-in-pictures（2020年9月25日閲覧）。

24 Christopher Borrelli. "'Boards of Change' in Daley Plaza artfully repurposes this summer's plywood into voter registration booths." *Chicago Tribune*, 6 Oct. 2020, https://www.chicagotribune.com/entertainment/ct-chicago-voter-registration-booths-20201006-m6mjtw3jwvdvfimhbufqp3efk4-story.html（2020年11月20日閲覧）。

社会の現状を独特のユーモアで捉え、見るものに問題を突き付けるストリート・アーティストの代表格である。2020年春、その新作が飾ったのは、同じ壁でも病院の中の壁だった。彼（おそらく男性）は5月6日に新作を発表し、その作品をサウサンプト

図3　バンクシー《ゲーム・チェンジャー》2020年（出所：https://banksy.co.uk/menu.asp）

ン総合病院に贈ったのである。作品は2020年秋までこの病院に飾られ、その後オークションにかけられて、落札金は国民保健サービス（NHS）に寄付されると発表された。バンクシー特有のステンシルによる吹き付け画法ではなく素描であり、タイトルもついている。その名も《ゲーム・チェンジャー》（図3）。NHS傘下のサウサンプトン総合病院へのバンクシーのメッセージは以下のようなものだった。「皆様の努力に感謝します。白黒ではありますが、この絵が病院を少しでも明るくしてくれることを望みます。（"Thanks for all you're doing. I hope this brightens the place up a bit, even if its only black and white."）」。アーティストが医療関係者への

44

敬意を絵に託したことに疑問をさしはさむ余地はない。

　その後、7月14日にもバンクシーはロンドンの地下鉄、サークルラインに清掃者のいでたちで現れた。乗客に別の車両に移動するように促したあとで、その車両のいたるところに、ステンシルでバンクシーのアートにはおなじみのネズミたちをスプレーで吹き付けてまわったのである。その様子を撮った映像がバンクシーのインスタグラムに投稿されているが[25]、この作品のタイトルは《マスクしなけりゃうつらない（If You Don't Mask, You Don't Get)》だが、くしゃみをしたり、マスクで遊んだりするネズミたちが訴えるのは、「マスクを着用しよう」の暗黙裡のメッセージである。つまり「マスクしないやつらは、わかっちゃいない」ということだ。またこの題名は "If you don't ask, you don't get（求めよ、さらば与えられん）" ともかけており（マスクをせよ、さらば与えられん）、三種の言葉遊びになっている。最後には地下鉄の自動ドアに描かれた文字がうつる。「今はロックダウンされている（I GET LOCKDOWN）」、「でもまた立ちあがる（BUT I GET UP AGAIN）」（I get knocked down, but I get up again［ノックダウンされてもまた

25　バンクシーは自分の活動や作品を公式ウェブサイトとインスタグラムで発表している。サークルラインでの車両乗っ取りの録画や《ゲーム・チェンジャー》はバンクシーのインスタグラム上で発表された。すぐに消される可能性があること、場所の特定をしない・させないことからも作品を SNS 上で発表することは、アーティストにとっても重要である。

立ち上がる] とかけている)。このグラフィティには手袋など医療関係者が身に着けるPPE（個人防護具）によく見られる空色が使用されている。結局この「作品」は公共の場での落書きとして、ロンドン交通局によって消されてしまった。しかし、ただでさえテロ対策にうるさいロンドンで全身防護服という異様ないでたちの清掃員が、「車両消毒」のために乗客を移動させるなど、当局の注意を引かないわけはない[26]。第一、交通局を最も困らせ、当局が目を光らせているのが、車両へのいたずら書きである。ロンドン交通局が目をつぶっていたのだとしたら、コロナウィルスに疲弊した市民への粋な計らいと取れなくもない。

一方今回病院に贈られた《ゲーム・チェンジャー》は壁に吹き付けられる不法な落書きではなく、壁にかけて取り外し可能な作品である。しかし、公共に訴える批判的なメッセージは健在である。看護師の人形で遊ぶ男の子にとって、この人形は、新しいヒーローである。おもちゃを入れた籠には、スパイダーマンやバットマンなどのほかのヒーローたちの人形が入っているが、無造作に入れられたその様子からすると、この籠はごみ籠にも見える。コロナウィルスは、子供たちのヒーロー観をも変

26　ロンドン市は2002年時点で、1億ポンドという多額の資金を落書きの清掃に費やしている。Jeffrey Ian Ross. "London Calling: Contemporary Graffiti and Street Art in the UK's Capital." *Routledge Handbook of Graffiti and Street Art.* Ed. by Jeffrey Ian Ross, Routledge, 2016, pp.274–275.

えてしまったというわけだろうか。しかも、ここでの今一つのゲーム・チェンジャーは、新しいヒーローが女性であるということでもある。この作品では、いくつもの価値観の転換が起こっている。

　鈴木杏子氏は、この作品が公開されたすぐあとの5月8日は「世界赤十字デー」であったことに注目する[27]。そして、5月12日は国際看護師の日である。フローレンス・ナイチンゲールの誕生日であったことから、国際看護師協会がこの日を記念日に決めたのは、1995年のことだった。日本でも5月12日は看護の日、そして5月12日を含む日曜日から土曜日までは看護週間とされている。これらの事実を今年になってはじめて知ったという人々も多かったことだろう。

　鈴木が論ずるのみならず、SNS上の多くの書き込みでも述べられているように、バンクシーの皮肉は、この新しいヒーローが象徴する人々こそ、簡単にごみ籠に捨てられていく存在なのだ、いう現実にある。この絵を見て、作者の敬意に同調しつつも、コロナウィルスの第一線で戦うヒーロー、ヒロインたちを私たちは日々犠牲にしている。もともと「ゲーム・チェンジャー」とはその名の通り、スポーツ試合（game）の流れを大きく変える選手のことを意味する。つまり、試合遂行のコマであ

27　鈴木杏子「バンクシーはなぜ『医療従事者への感謝』を風刺画に仕立てたのか？パンデミックの表現とストリートの作法」『美術手帖』、ウェブ版、2020年5月11日、https://bijutsutecho.com/magazine/insight/21875（2020年9月25日閲覧）。

図4　《200の国籍一つの NHS（#200NationalitiesOneNHS）》、2020。#PaintTheChange—street art for social change のプロジェクトによって描かれた壁画（出所：注30参照）

る。入れ替えは容易なのだ。そして筆者は、今一つのヒーロー観の変化に注目したい。新しいヒーローは女性であるのみならず、その肌からして、有色人種であるようだ。

　イギリスのボリス・ジョンソン首相は自身、コロナウィルスに罹患し、一時は集中治療室に入るほど容体が悪化した。無事に退院した時のスピーチで感謝を捧げた二人の看護師は、一人はニュージーランド出身、もう一人はポルトガル出身だった。現在 NHS を支えているのは、世界各国から来た医療従事者で、2020年6月発表の時点で医療従事者128万人のうち、およそ17万人が外国籍である。この人数は国籍がわかっている従事者の13.8% を占めており、その範囲は200国におよぶ[28]。また、元植

<hr />

28　つまり国籍不明の医療従事者もいるということである。Carl Baker. *NHS Staff from Overseas: Statistics.* Briefing Paper of House of Commons Library, no.7783, 4 June 2020, p.5, https://commonslibrary.parliament.uk/research-briefings/cbp-7783.pdf（2020年9月25日閲覧）。

民地の優秀な学生たちがイギリスのメディカル・スクールで最新医療を学ぶというネットワークができあがっており、その後もイギリスの医療機関で働く人々が多い[29]。母国での医療設備があまりにお粗末、かつ医療に従事したくとも、薄給で生活を維持できないという現状がその理由の一部でもある。同時に旧宗主国のイギリスは、このような有能な人材を積極的に受け入れており、NHSの医療サービスは彼ら・彼女らに大きく依存している。新型コロナウィルスの感染拡大の中で、イギリスは今まで以上に海外からの医療従事者に依存することになり、医療の最前線で自ら感染し、命を落とした最初の医療関係者たちが、元植民地からの移民であったことは、大きなニュースとなった。2020年4月初旬のことである[30]。

さらに大きな社会問題として取り上げられたのが、イギリスのEU離脱後を見据えた移民政策である。すべ

---

29 Mustafa Jalal, et al. "Overseas Doctors of NHS: Migration, Transition, Challenges and towards Resolution." *Future Healthcare Journal*, vol.6, no.1, Feb. 2019, pp.76–81.

30 バンクシーのみならず、社会的差別をストリート・アートで訴え、アーティストと共に市民参加型のアート・プロジェクトを推進する団体に＃PaintTheChange がある。この団体は2020年秋に活動の一環として200国から来た NHS 医療従事者を称え、その存在に人々の目を向けようと ＃200 NationalitiesOneNHS のキャンペーンを開始し、イースト・ロンドンのショーディッチにて住民たちと巨大なミュラルを描いた（図4）。https://www.paintthechange.me/（2020年12月24日閲覧）。

ての国民に無料で基礎医療を提供するNHSは、これまで、EU以外の人々でも登録すれば無料サービスを可能にしていた。しかし2015年4月6日以降、6か月以上滞在するEU以外の国からの移民は、NHSを受けるために200ポンドの健康保険追加料金の支払いが課せられることとなったのだ。支払い証明がない限りは滞在許可が下りないか、無効となる。しかも、この課徴金は医療従事者や介護者にも同じく課される。その後、欧州経済領域（EEA）以外からの移民に対する追加金は2倍の400ポンドとなり、2020年の10月21日からはさらに値上がりし、18歳未満は470ポンド、18歳以上の課徴金は624ポンドとなった。これがバンクシーの絵に描かれた《ゲーム・チェンジャー》の置かれた現実なのである。

　ボリス・ジョンソン首相は、自らの新型コロナウィルス罹患とICUでの経験を経て、海外からの医療従事者の置かれた状況を目の当たりにしたのであろう。5月21日にEEA以外からの医療従事者、および介護者へのNHS課徴金の廃止を議会で発表すると同時に、今回のパンデミックで命を落とした医療関係者の遺族に対しても、イギリス在住権を保障した。ただし、これらの優遇措置はあくまで医者や看護師などの医療従事者のみで、病院で働くほかのエッセンシャル・ワーカー、例えば必要かつ危険な清掃従事者や廃棄物処理に当たる人々や守衛たちには十分に適用されておらず、大きな課題となっている[31]。

　この背景を知れば、バンクシーの絵は、強烈な批判を

秘めていると理解できる。ヒーローをあがめるのは簡単だが、同じく、いとも簡単に彼ら・彼女らを「消費」しているのも私たちである。一時は各国で毎日のように報道されていた医療関係者たちへの称賛だが、アメリカでは大統領選大混乱の中に埋もれ、死者が20万人を超えた9月22日にも、報道されるのはその驚くべき数だけであり、現場での修羅場が紹介されることは一時ほとんどなくなった。ジョー・バイデン氏が次期大統領に決まったあと、感染者がうなぎ上りに増え続ける中でも、トランプの関心は根も葉もない選挙不正にのみ向けられ、トランプ政権支持者の中には、パンデミックそのものを「でっち上げ」と信じる人々が多く、マスク着用なしの集会やデモが繰り広げられた[32]。前大統領自らが煽動するデマゴーグはSNSを通して拡散し、最終的には2021年1月6日、大統領選挙の結果を確定する連邦議会の議事堂にトランプ支持者が押し入る暴動へとつながったこ

---

31 Andrew Woodcock. "Coronavirus: Home Office U-turns after Outrage at Exclusion of NHS Cleaners and Porters from Bereavement Scheme." *Independent*, 20 May 2020, https://www.independent.co.uk/news/uk/politics/nhs-coronavirus-leave-remain-scheme-home-office-migrants-a9524881.html（2020年9月25日閲覧）。

32 感染症による死亡者が30万人を超えた2020年12月15日以降も、トランプは死亡者の数字が上乗せされているとツイッター上で訴え続けた。その一方医療現場の崩壊の現状も毎日のように報道をにぎわすようになった。そして2021年2月22日、第三波のピークは過ぎたもののアメリカでの感染による死者は50万人を超えた。

とは周知のとおりである[33]。

　その間にも世界各国では感染の第三波が1月から2月半ばにかけて打ち寄せた。各国が開発を急ぐワクチンの投与が12月からいくつかの国で始まったとはいえ、国内でさえすべての人々にいきわたるには時間がかかる。また2020年12月にはイギリスと南アフリカで感染力の強い変異型のウィルスが発生し、世界への拡散も明らかとなった。その裏でエッセンシャル・ワーカーの犠牲は今も続く。結局真のゲーム・チェンジャーとなることが求められているのは、虚偽の報道や流行に惑わされ、ヒーローたちを弄び、飽きれば捨ててしまう子供が象徴する人々、今この絵を見ている我々でもある。

　サウサンプトンの病院に飾られた《ゲーム・チェンジャー》は、2021年3月8日から15日までオークションハウスのクリスティーズのロンドン本社に展示されたあと、3月23日に競売にかけられることが決定した。サウサンプトン総合病院の壁には本作品の複製がかけられる予定である。いったいいくらの値段が付けられるのか、美術界では様々な憶測が飛んでいるが、競り落とすのは個人となる可能性も十分にある。本来は、公共の作品として、多くのメッセージをそこに読み取るべきバンクシーの作品は、競り落とされる時に、今一度ニュースを騒がせる

33　暴徒と化した白人至上主義者たちに対する警備体制の甘さは、BLM 運動でのデモ行進の際に配備された機動隊の圧力と比較されて報じられた。

ことだろう。その時に再び私たちは、新型コロナウィルス最前線で今も危険に身をさらしているエッセンシャル・ワーカーたちに思いを馳せるのだろうか。それとも落札価格だけが話題になるのだろうか。

　「ゲーム・チェンジャー」の語源となったスポーツの試合の行き先と同じく、人々の関心と問題意識は一直線には進まない。簡単に変化する。ストリート・アーティスト、バンクシーの風刺は、何度でも私たちを刺し貫くべきなのだ。

アイデンティティを作りコミュニティをつなぐ
ストリートのアートの伝統

　ストリートのアートがコミュニティのアイデンティティとなってきた例は今までも多数ある。有名な例はメキシコの壁画運動であろう。1920年代から30年代にかけてのメキシコ革命の際に、壁画はメキシコの伝統や革命の大義を伝えるツールとして重要な役割を果たした。第一に壁画という形式自体が、メキシコ文化のアイデンティティ構築の過程の一部であった。西欧の表現方式からの脱却を意味したからである。そして、壁画は記念碑としての役割を帯びていた。メキシコ革命に参加した人々の誇りや闘いで家族や仲間を失った悲しみを表現する画面は、物言わぬ冷たいブロンズや石に変わる色彩豊かな歴史の語り部であった。そして壁画という形式は、多くの人々をつなげる表現法であった。制作には一般の人々を含め多数の参加者が必要だった。同時に目に触れる場

所に位置することで、作る側と見る側をつなげるという意味でも大衆の、つまり公共の芸術となった[34]。これらの公共芸術の指揮を執ったディエゴ・リベラ（Diego Rivera, 1886–1957）やホセ・クレメンテ・オロスコ（José Clemente Orozco, 1883–1949）など代表的な画家たちは、その後アメリカにわたり、壁画制作を続けた。世界恐慌のあとの公共政策、ニューディール政策の中で生まれた連邦美術計画は、リベラとオロスコがアメリカにわたったころ、新たな公共芸術としての壁画制作を後押ししていたのである。

　それからヨーロッパでも壁画はだれにでも開かれた公共芸術として、地域のアイデンティティの一部となっていった。19世紀以降、東欧からのユダヤ系移民たちを受け入れてきたロンドンの東部（イースト・ロンドン）はその昔はプロレタリアートの町であり、現在も多様な人種が集まる。タワーハムレッツ・ロンドン自治区のケーブル・ストリートに赴くと、静かな住宅街に突如、色鮮やかな壁画《ケーブル・ストリートの戦い》が現れる（図5）。メキシコの壁画運動のアーティストたちの活動から想を得て制作が開始されたこの壁画は、1936年10月4日に起こったある出来事を描き出している。オズワルド・モーズリー率いる英国ファシスト連合の行進を、ユダヤ系のイースト・ロンドンの住民たちと賛同者たち

34　加藤薫『メキシコ壁画運動──リベラ、オロスコ、シケイロス』、平凡社、1988年、IV章（63–92頁）。

が、スペイン内戦の共和国側のスローガン、「奴らを通すな！（ノー・パサラン）」を唱和しつつ阻止した「ケーブル・ストリートの戦い」である。タワーハムレッツ区から依頼を受けたアーティストのデイヴ・ビニントン

図5 《ケーブル・ストリートの戦い（Cable Street Mural）》、1983年（出所：注35参照）

（Dave Binnigton）は、その事件を知る人々に聞き取り調査を行い、住民たちを壁画の中の人物のモデルとして、1976年より壁画制作を進めていった。まさに人々による人々のためのストリートのアートである。1979/80年にはもう一人のアーティスト、ポール・バトラー（Paul Butler）が制作に加わる。しかし、繰り返される極右集団による「汚損行為（graffiti'd）」の末に、ビニントンは計画から降りてしまう[35]。制作を継いだバトラーは、ほかの画家たちの助けを借りて、1983年3月にこの壁画を完成させた。その後も壁画は破壊行為をうけたが、修復され、2011年10月1日に、前年9月にタワーハムレッ

35　ポール・バトラー自身のコメントより。"Cable Street Mural." *London Remembers: Aiming to capture all memorials in London*, https://www.londonremembers.com/memorials/cable-street-mural（2021年1月9日閲覧）。

ツ区長となったバングラディシュ出身のラトファー・ラーマン（Lutfur Rahman）の手によって 公開された。その後この地区の持つ多様性とその伝統を守るというコミュニティの気風の象徴として、この壁画は地域住民と区議会によって守られている。説明板の最後にはこう書かれている。

　　この歴史的な壁画を見れば、私たちは思い起こすだろう。コミュニティを分断しようとする人々が現れたとき、コミュニティが一致団結すれば何を成し遂げられるのか、ということを。

この壁画は町の歴史とアイデンティティの証である[36]。アメリカのストリート・アートやバンクシーの《ゲーム・チェンジャー》が語るように、もともとは匿名アーティストたちによる、メッセージ性の強い違法行為は、今回のパンデミックとそのパンデミックがあぶりだした社会問題の中で、まったく新しい公共性を帯びるようになった。壁から公園、道路へとその場面を広げ、コミュニティに関わる人々の制作参加も含め、階層を越えてつながるツールとなったのである。そこにはメキシコの壁画運動やケーブル・ストリートの壁画のように政治と歴

36　以下も参照のこと。横山千晶「芸術とコミュニティ──『創造』というマーケット」、川端康雄他編著『愛と戦いのイギリス文化史──1951-2010年』、慶應義塾大学出版会、初版第2刷、2013年、85–87頁。

史とコミュニティをつなぐ公共芸術の伝統が流れ込んでいる。

　同時に昔ながらのタギングの伝統も息づいている。ワシントンD.C.の16番街やマンハッタン5番街のストリート・ミュラルは、コミュニティのアイデンティティを意味するだけではなく、自分たちの縄張りを主張する。政治的な縄張り争いがアメリカを赤（共和党・保守・トランプ支持）と青（民主党・リベラル・反トランプ）に分ける中で黄色のメッセージは、今まで忘れられてきた人々の強烈な自己アピールとなり、存在の証となる。《ケーブル・ストリートの戦い》も、人種的多様性というイースト・ロンドンのDNAの証であり、今もそのDNAを分断しようとする者たちを通すまいとする。

2-3　イリーガルからリーガルへ
——ストリート・アートと町の再生

「器物破損」行為からリーガルな行為へ

　イースト・ロンドンの公共芸術にはもう一つの顔がある。ケーブル・ストリートから北に歩いていくと、私たちを待ち構えるのは、違法行為であるはずのストリート・アートが町を席巻している景色である。ここハックニー区のショーディッチでは落書きこそが、町のアイデンティティであり、この地区に「ストリート・アートの町」というタグをつけている。

　ストリート・アートは2020年に「公共の芸術」とし

ての力をいかんなく発揮することになった。しかしその公共性が認められた背景にあるのは、だれでもが参加でき、メッセージを発信できるその手法のみではない。芸術としての卓越性とバンクシーのような名前の知られたストリート・アーティストがパンデミックにまつわるメッセージの発信と人々への呼びかけに積極的に参画していった事実がある。

　タギングが自分の存在の証明であるとすれば、よりアクセスが難しい場所に、見つかることなく短時間に、より目立ち、より人々の関心を引くデザインと技法とスタイルをアーティスト／ライターたちが編み出していくのは当然のことだろう。こうやって、新たな芸術の分野とルールが確立されていく。落書きは洗い落とされたり、その上にまたほかの落書きが描かれたり、自分の作品がリライトされたりする憂き目にあうものだが（だから、アーティストは自分の作品を描いたあと、すぐに写真に収める）、ストリート・アートという分野の確立は「作者」を生み出し、彼らの落書きは町の中で作品としての位置を獲得していく。

　それまでは、仲間内だけで通じていた暗号としてのグラフィティが、ストリート・アートとして外部の鑑賞者たちに開かれていったことになる。バンクシー本人の「非公式」ルポルタージュの著者ウィル・エルスワース＝ジョーンズが語るように、グラフィティの根源にあるものは、公共性ではなく排他性である。

純粋なグラフィティ作品は、一見した感じより
もずっと複雑な意味を持つ可能性がある。グラフ
ィティを理解するにはそれを読み解く必要があり、
ルールを知らなければ何ひとつわかりあえないも
のだ。学術的に言い換えれば、グラフィティアー
ティストは、現代のカリグラフィーアーティスト
に例えられる。それは、グラフィティの特徴が、ア
ルファベットを再定義して変化させた文字を配置
し解読できない混沌状態を生み出すことにあるか
らだ。そして名前やメッセージを解読不能にする
ことで、そのサブカルチャーに属さない者を意図
的に排除している[37]。

　バンクシーの社会問題を取り扱った作品から、メッセー
ジを受け取ることで、見るものは作品との連帯感を感
じる。同時に風刺のきいた粋な表現法は、時として複雑
な読み解きをも必要とする[38]。《ゲーム・チェンジャー》
はその良い例であろう。
　《ゲーム・チェンジャー》がオークションにかけられ
巨額で競り落とされるように、バンクシーはすでに芸術
産業の中に確固とした足場を築いているアーティストで
ある。2020年12月10日にはブリストルの民家の壁に、
バンクシーの新作《ハックション！（Achoo！）》が吹

37　ウィル・エルスワース＝ジョーンズ『バンクシー──壁に隠
　　れた男の正体』、鈴木杳子他訳、パルコ出版、2020年、66頁。

き付けられているのが発見され、家の前に掲げられていた「売却済み」の看板が撤収されるというちょっとした事件があった。民家への付加価値が一気に高まったためである。違法な芸術であるはずのストリート・アートは実際に芸術としてすでに公認されている。ギャラリーやホワイトキューブのみならず、テート・モダンやロサンゼルス現代美術館などの主要美術館で展覧会が開催され、商業と結び付き、産業システムの中に入ることは[39]、アンダーグラウンドとしての違法性をそぎ落とすことになる。

38　大山エンリコイサム『ストリートの美術──トゥオンブリからバンクシーまで』、講談社、2020年、250–254頁。自らもライティングのアーティストである大山は、グラフィティという言葉を使わずに、70年代初頭のニューヨークのパイオニアたちの使った writing を選び、ライターたちがエアゾールを使うことから、自らの活動も含め「ライティング」または「エアロゾル・ライティング」という呼び方を一貫して採用している。大山はまた、主に自分たちの名前を独特の技法で描く／書くライティングとストリート・アートを次のように区別している。「多くのストリートアートは、具象的なイメージで彩られたわかりやすいメッセージ性、場の特徴に働きかける遊戯性、カラフルで楽しい視覚的なエンターテイメント性によって特徴づけられる。そのため、読み解くのが難しいライティングよりも広く社会に受け入れられた。」（同上、28頁）。またグラフィティとストリート・アートの専門用語については以下を参考にされたい。大山エンリコイサム『アゲインスト・リテラシー：グラフィティ文化論』、LIXIL 出版、2015年、7–8頁。

39　ストリート・アート創始者の一人とされるキース・ヘリング（Keith Haring, 1958–1990）は、商業的に成功した最初のストリート・アーティストと言われる。

実際に「器物損壊」の違法行為であるグラフィティに、合法的なカンバスを与えたのが「リーガル・ウォール（legal graffiti walls）」である。アメリカで1980年代に始まり、その後1990年代にはヨーロッパに広がったとされるが、公共交通機関への落書きが当局を悩ませ続けることから、非合法の落書きを徹底的に取り締まった結果現れた。ライターたちも活動が認可される場所を求めたのである。

　渋谷の大々的な再開発の中で、2020年3月に86年の歴史を閉じることになった東急百貨店東横店の解体工事の開始に伴い、短期間に開催されたイベントは、「日本最大級のリーガル・グラフィティ」を謳った企画であった。その昔、渋谷を走っていた路面電車「玉川電車」の名称を残すJRの「玉川改札」が9月25日に閉鎖されることにあわせて、2020年9月23日から25日の間、10月の解体工事前に東横店の1・2階のスペースを使って、アートの展示を行うというものである。企画者は東急株式会社渋谷開発事業部とクリエイティブカンパニー株式会社BAKERUである。このプロジェクトでは、東横店の1階を美術家の青山健一が担当し、2階は渋谷近郊で活動する若手のストリート・アーティストたちに開放された。こうして、閉鎖されたデパートのシャッターなどを使って、一夜で作品が描かれたのである。プロジェクトの名前は、「＃391045428」、「＃サンキュー東横渋谷」。同店への感謝や思い出が今回のアートのテーマとなっている[40]。とはいえこれらの作品から86年という歴史と、東横店

図6 「リーガル・グラフィティ♯391045428」の作品（撮影：桐谷祐美）

を実際に使ってきた多くの人々の思いを読み解くことはできなかったし、渋谷という町に潜む複雑なメッセージを含んだ作品も見当たらなかったように思う。今回のプロジェクトは、3日間ののちに消される落書きを、アーティストたちの感じる「渋谷」をテーマに描いた芸術祭といったところだろうか。

　渋谷以外にも、この合法グラフィティは日本の様々なところで見られる。都市の空洞化や大規模ショッピングモールの建設により増えてきた閉店店舗のシャッターを提供する「リーガル・シャッター」はその例である[41]。これらのリーガル・グラフィティは、違法アーティスト

40　株式会社 BAKERU の2020年9月25日のプレスリリースより。なお、今回のアート・プロジェクトに際しては、メイキング動画 も 作成 さ れ て い る。https://prtimes.jp/main/html/rd/p/000000013.000046840.html（2020年9月25日閲覧）。

41　Legal Shutter Tokyo は、世界各国からのアーティストにシャッターを提供している。ホームページは以下を参照。https://legalshuttertokyo.tumblr.com/（2020年9月25日閲覧）。

のコントロールというよりも、上からの働きかけでアーティストたちに活動の場を提供しているという点からも、公開の芸術活動と道行く人々の交流を促し、アーティストを育てる一環として捉えることができる。若手の技法をはぐくみながら、まちおこしを行っていく試みの一つである。

ストリート・アートが町を変える

　才能が認められたアーティストたちと、リーガル・ウォールやリーガル・グラフィティの出現は、建物を大きなカンバスとしたアート・プロジェクトを可能にし、町の「顔」を視覚的に作り出し、ブランディングを可能にする。匿名性を守り、アンダーグラウンドの活動スタイルを貫くバンクシーのような有名アーティストの場合、その作品の投下は、一瞬にしてその建物や壁を公共のアート作品の一部としてしまう。時として、描かれた壁や扉が丸ごと外されて、保護される。もちろんそれらの公共の場所に描かれた芸術は、多くの鑑賞者を観光客としてその場所へと引き付ける呼び水ともなる。

　こうして、観光事業とストリート・アートが結託した例が、世界各地に見られるようになった。その代表がバンクシーもエアロゾルで作品を残しているイースト・ロンドンである。現在ハックニー区ショーディッチのストリート・アートは、観光事業、地方自治体、個人投資家、ギャラリーや出版業者などを巻き込み、立派な産業となっている[42]。同じイースト・ロンドンでも先ほど紹介し

たケーブル・ストリートの壁画がコミュニティのアイデンティティの証となる歴史の語り部となっているとすれば、ショーディッチは有名なアーティスト作品のギャラリーであり、新たな才能の自己アピールの場所となっている。

　とはいえ、ストリート・アートを町のブランディングに利用した背景には、ケーブル・ストリートの壁画が語る、この地域が持つ歴史がある。19世紀以降、東欧からのユダヤ系移民たちを労働者として受け入れてきたイースト・ロンドンは政治や金融、および高級芸術（ハイ・アート）の活動の場所であるウェスト・エンドとは異質の存在であった。その立ち位置を生かし、イースト・ロンドンは体制とは異なる独自の才能を育ててきた。1896年に設立されたユダヤ人教育支援協会は、ホワイトチャペル基金学校との協力のもとで、才能あるユダヤ人の子供たちの中等教育を支援する団体だったが、20世紀初頭には支援対象を芸術教育にも広げていった。同時に大学セツルメント運動の嚆矢となったトインビー・ホールは、1884年に設立されて以来、様々なアーティストの協力を得て、住民の芸術教育に力を注いできたが、その延長上に設立されたのが、ホワイトチャペル・アート・ギャラリー（1901年設立。現在のホワイトチャペ

<hr />

42　Sabina Andron. "Selling Streetness as Experience: the Role of Street Art Tours in Branding the Creative City." *The Sociological Review*, vol.66, issue 5, 2018, pp.1036–1057.

ル・ギャラリー）である。

　こうした支援を踏み台にしてイースト・ロンドンは多くのアーティストたちを生み出した。ディヴィッド・ボンバーグ（David Bomberg）、マーク・ガートラー（Mark Gertler）、アイザック・ローゼンバーグ（Isaac Rosenberg）、ジェイコブ・クレイマー（Jacob Kramer）たちは「ホワイトチャペルの息子たち」と呼ばれたユダヤ系の若手アーティストたちである。彼らはトインビー・ホールやホワイトチャペル・アート・ギャラリーそしてギャラリーに隣接する図書館を生活の一部として育ってきた。そしてイギリスのモダン・ムーヴメントを支えるのみならず、ウェスト・エンドとのつながりも作り上げていったのである。

　この流れの中でイースト・ロンドンは現代美術のメッカとなり、ホワイトチャペル・ギャラリーでの展示は現在若手アーティストが世界に羽ばたくための登竜門となっている。以上の背景を考えると、ストリート・アートがこの町にふさわしい表現方法であり、この場所に新たなカンバスを求めたのも理解できる。イースト・ロンドンのストリート・アートも貧しい若者の間で生まれ、仲間内で拡散し、見出されていった。ライターたちにとってそれは自分がここにいること、いたことの存在証明である。しかし、コミュニティの中で共有されていたライターのシンボルは、やがてアートとなり、イースト・ロンドンを越えてその影響力は拡散していった。やがてイリーガルなアートがリーガルなアートとして、帝国主義

を支えた19世紀以降のエッセンシャル・ワーカーたち
が住んでいたイースト・ロンドンを消費の舞台にしたの
である。

　その背景には、強力な文化政策の後押しがあった。特
に2012年のオリンピック開催都市にロンドンが名乗り
を上げた際に、イギリス政府は再開発中のイースト・ロ
ンドンの再生をオリンピックの重要課題として位置付け
た。労働者と多様性の町という歴史を持ちながらも低所
得者層が多いコミュニティのアイデンティティを保ちつ
つ、オリンピックのみならずその後の遺産（のちほど
4-2で紹介する）として再生と経済復興を促すツールの
一つがストリート・アートであった。

　この実態については、イギリスを中心に、芸術を経済
効果へとつなげていく文化政策の歴史、およびオリンピ
ックの中での文化政策を次の3章で見たあとで、また考
察することにする。

第3章
アーティストはなぜ生命維持に必要なのか

3−1　再びコロナ禍の文化政策を考える

　今一度、2–1で述べたコロナ禍での各国の文化政策に
戻ってみる。「アーティストは、今、（私たちの）生命維
持に必要不可欠な存在」なのか、という問いは、芸術の
立ち位置を私たちがどう捉えるのかにかかわってくると
いうことは、すでに述べたとおりである。

　2–1でも垣間見えるように各国にはそれぞれの文化の
定義と文化政策があり、その歴史も思想も異なる。例え
ばフランスのフランク・リステール文化相は、3月18日、
COVID–19の感染拡大を受けて、次のような声明を出
した。「我が国が直面する未曾有の危機は、文化に従事
する人々に大きな打撃を与えた。私たちは彼らの生活を
保障するために、あらゆる手段を尽くさなければならな
い。かかっているのは、私たちの文化モデルの将来であ
る。」[43]この「文化モデル」とは、歴史的に文化支援を
国家の重要な責務としてきた姿勢のことであり、1980年

43　船越清佳「芸術大国フランスの音楽界は、新型コロナウィル
　　スとどう戦っているのか」ONTOMO、2020年3月28日、
　　https://ontomo-mag.com/article/column/coronavirus-france/
　　（2020年9月25日閲覧）。

代に真っ先に「文化」の再定義を行い、美術以外の他分野に広げていったモデルにほかならない[44]。それはフリーランスのアーティストや裏方を支えてきた失業手当、「アンテルミタン」の制度にも反映されている。2019年のノートルダム大聖堂の火災による大惨事に際してエマニュエル・マクロン大統領は、火災発生の2日後の4月17日にルイ14世時代から国の手工芸の土台となったフランス作業所（シャンティエ・ド・フランス）を復活させ、数千人の若者たちの職人教育を行い、大聖堂の復興に当たらせると発表した。このような組織とネットワークが歴史的にフランスの芸術や工芸産業を支えてきたという自負が、未曾有の文化財破損に対する国の耐久力と復活力の象徴ともなった。

　一方ドイツの現代文化政策は地域主権に基づいている。州ごとに独自の文化政策を展開しており、通常時は公的な文化歳出年間約105億ユーロのうち、連邦政府からの予算は13.5％にすぎない。今回のコロナ危機に対する政府の緊急支援金も、州ごとの具体的な制度に落とされ、活用されることになる。

44　中央政府主体のフランスの文化政策の歴史は、以下を参照のこと。イヴ・レオナール『文化と社会——現代フランスの文化政策と文化経済』、植木浩監訳、八木雅子訳、芸団協出版部、2001年。また異なる芸術に対する政策、および具体的なケースについては、以下の図書が詳しい。クサビエ・グレフ『フランスの文化政策——芸術作品の創造と文化的実践』、垣内恵美子監訳、水曜社、2007年。

とはいえ、政府は危機的状況の支援を州や市町村に丸投げしたわけではない。文化相が「アーティストは生命維持に必要不可欠」との宣言を出した3月23日から1週間後の3月31日にドイツの文化政策協会が「コロナ‒パンデミック後の文化政策のための10項目」を発表し、州、市町村と連邦政府との協力体制の具体策を提示した。同協会は、非営利の社会法人で、実務家を中心としたおよそ3,000人の会員を擁し、専門の研究員が在籍する。原則として年会費で運営されているが、ドイツ連邦政府の文化メディア委任官庁の助成も受けており、季刊誌と年鑑を発行するほか、提言とコンサルティングを行っている。今回の10項目の提言は以下のことに注目する[45]。文化国家としてのドイツの文化インフラストラクチャーの重要性を再確認し、経済と社会制度の中に位置付け、教育や学術と同様の注目を促す。分権主義に基づく州、市町村と連邦政府の結束、補完性と再調整。フリーランスの人々の支援。持続的な救済の可能性の探求。市民社会へのアピールと、個人の文化活動への参加促進。文化政策は社会構造政策であるという認識。ディジタルメディア文化の発展とそのための投資。定常性への回復の中での文化と文化施設の役割[46]。

45　詳しい内容と説明については、以下を参照していただきたい。藤野一夫「論説：パンデミック時代のドイツの文化政策（1）・（2）」『美術手帖』、ウェブ版、2020年5月20日・30日、https://bijutsutecho.com/magazine/insight/21937、https://bijutsutecho.com/magazine/insight/22010（2020年9月20日閲覧）。

ここで特に強調されるのは、文化インフラが社会構造や経済構造の重要な一部であるということ、そして文化政策は社会構造政策であり、社会の問題を考えるきっかけとなるという認識である。すでに2章の冒頭で述べたとおりだが、ドイツでもフランスでも個々のアーティストたちは、社会構造や教育機構のメンバーであり、国の経済の担い手であり、ほかの職種と同等の自営的就労者である。芸術家と芸術は、人々を社会へとつなぐ生命線であると同時に市町村から州を経て、国家につながる行政と経済においても生命線を形成する。

　すばやい緊急支援の発表と将来へのインパクトを含めたその具体策の立案・実施が可能となったのは、フリーランスも含めて芸術家たちの位置付けと民主主義国家の中での役割、そして経済効果を国家が明確な形で把握しているからにほかならない。同時に芸術がほかの産業と連携し、コミュニティの経済システムの中での重要な位置を占めているのみならず、パンデミックの中でディジタル分野とつながることで今後新たな文化と産業の可能性を拓く要素となることも重要視されている。政府と連

46　地域主権に基づくドイツの文化政策については、以下を参照のこと。藤野一夫他『地域主権の国　ドイツの文化政策——人格の自由な発展と地方創生のために』、美学出版、2017年。また、文化政策における公共文化施設の意義については以下に詳しい。秋野有紀『文化国家と「文化的生存配慮」——ドイツにおける文化政策の理論的基盤とミュージアムの役割』、美学出版、2019年。

携する民間組織や研究組織の存在と提言は、その過程で大きな役割を果たしている。

　日本の文化芸術に対する政府の意識は、社会や経済との関係に関しては明確な定義がないままここまで来てしまった。文化財の保護をはじめとし、文化行政の中で伝統文化の偏重が見られること、そして文化芸術はあくまで贅沢な消費対象であり、一部の人々が享受できるもの、理解できるものとの国民認識が根強く残っていることもその原因であろう。2018年になって、文化庁の「文化芸術推進基本法」の一部改正に伴い、文化芸術推進基本計画の中に文化芸術の「本質的な価値」に加え、その「社会的・経済的価値」がようやく明確化された事実が、西欧との意識の違いを物語っている[47]。

47　ここでは「文化芸術政策を取り巻く状況等」として「文化芸術の価値」と「文化芸術を取り巻く状況の変化」の2点を挙げている。前者では人間性と文化的な伝統の育成を促す「本質的な価値」、多様化する社会の中での共存と経済的な価値を実現する「社会的・経済的価値」が挙げられ、後者では少子高齢化・グローバル化・情報通信技術の発達および2020年の東京オリンピック・パラリンピック競技大会開催への対応を見据えた「文化芸術を取り巻く状況変化」が挙げられている。以下を参照のこと。文化庁「文化芸術推進基本計画——文化芸術の『多様な価値』を活かして、未来をつくる——（第1期）」、2018年3月6日閣議決定、https://www.bunka.go.jp/seisaku/bunka_gyosei/hoshin/pdf/r1389480_01.pdf（2020年11月19日閲覧）。

3－2　Tokyo 2020 と London 2012
——オリンピックと文化オリンピアード

Tokyo 2020 と文化オリンピアード

「文化芸術推進基本計画」の中で文化芸術の価値があらためて定義し直されたのは、もちろん2020年東京オリンピック・パラリンピック競技大会（以後「オリンピック」で統一する）を見据えてのことであった。文化政策では大いに後れを取っている日本だが、その日本文化の持つ伝統と革新のソフトパワーを経済力に結び付けて提示してみせる、またとない晴れの舞台が、Tokyo 2020のはずだった。このオリンピックがモデルにしたのは、8年前のロンドンのオリンピックである。芸術も含めて文化が、いかに国のアイデンティティと経済力につながっているのかを、用意周到に準備して世界に向けてのパフォーマンスとして見せた例が、2012年のロンドンオリンピック（London 2012）だった。

2021年の7月23日〜8月8日に持ち越されることとなった Tokyo 2020 は、運営準備の段階から文化プログラムの実施を企画の中に入れていた。文化庁はオリンピックの中での文化プログラムの実施は「オリンピック開催国の義務」とし、以下のオリンピック憲章を引用する。

・オリンピズムは、人生哲学であり、肉体と意思と知性の資質を高めて融合させた、均衡のとれた総体としての人間を目指すものである。スポーツ

を文化と教育と融合させることで、オリンピズムが求めるものは、努力のうちに見出される喜び、よい手本となる教育的価値、社会的責任、普遍的・基本的・倫理的諸原則の尊重に基づいた生き方の創造である。（根本原則）

・オリンピック競技大会組織委員会は、短くともオリンピック村の開村期間、複数の文化イベントのプログラムを計画しなければならない。このプログラムは、IOC理事会に提出して事前の承認を得るものとする。（第5章・第39条）（強調は文化庁の資料による）[48]

　引用されている根本原則は、オリンピズムの七つの根本原則の最初に挙げられている。近代オリンピックの提唱者であるクーベルタンは古代オリンピックのようにスポーツと芸術の融合を目指し、スポーツ競技と同時に建築、彫刻、絵画、文学、音楽の五部門で芸術競技を実施する計画を打ち出した。いずれもスポーツやスポーツの理想をテーマにしたものが対象となり、スポーツ競技の開催中に展示、あるいは上演され、スポーツ競技と同じ

48　文化庁資料「文化プログラムの実施に向けた文化庁の取組について〜2020年東京オリンピック・パラリンピック競技大会を契機とした文化芸術立国実現のために〜」（2016年7月）の中の「オリンピックにおける『文化プログラム』の位置づけ」より。https://www.bunka.go.jp/seisaku/bunkashingikai/seisaku/14/02/pdf/shiryo1_1.pdf（2020年9月18日閲覧）。

く順位がつけられ表彰された。しかし1912年から1928年のロンドンオリンピックまでの期間に計7回開催されたのちに、芸術競技は廃止される。スポーツ競技のような点数化が難しいということもその原因であった。とはいえ、ほそぼそながら芸術の展示はオリンピックの公式プログラムとして続けられていた。

　そのような状況を経てオリンピックの中に多彩な文化イベントが位置を占めたのは1992年のバルセロナ大会からであり、2012年のロンドンオリンピックが掲げた「文化オリンピアード（Cultural Olympiad）」は過去最大の文化プログラムとなった[49]。オリンピックの開催立候補都市はIOCから提示される500以上の質問に回答し、開催計画の説明書を提示したうえで、評価委員会による現地調査を受けることになる。評価のためのテーマの中で文化プログラムの位置付けは、2012年度は17番目だったのに対し、London 2012に続く2016年度には、2番目に繰り上がり、オリンピックにおける文化プログラムの重要性が高まったことがわかる[50]。これもロンドンでのプログラムの成功によるものだろう。その成功を検証

49　オリンピックの中での文化芸術の位置付けの歴史については、東京文化資源会議編『TOKYO1/4と考えるオリンピック文化プログラム── 2016から未来へ』、勉誠出版、2016年の太田義之氏による序論「『オリンピック文化プログラム』序論──東京五輪の文化プログラムは二〇一六年夏に始まる」（2–32頁）を参照のこと。ここでは、文化芸術の位置付けのみならず、London 2012の文化プログラムの詳細と成果についても説明されている。

したうえで、Tokyo 2020の運営に関しては、London 2012 をモデルとすることが早急に決定された。2013年12月には実施のための推進委員会が創設され、2015年7月には文化プログラムの実施に向けた文化庁の基本構想が発表されている[51]。

　その後、2016年10月、東京の日本橋にて2020年の東京オリンピックに向けての「文化オリンピアード」のキックオフセレモニーが行われた。そこでは日本文化を再認識し世界へと発信することを土台にして、「あらゆる人々が参加できるプログラムを全都道府県で実施し、地域を活性化する」というコミュニティの再生を「多くの若者に文化芸術への参加を促進し、創造性を育成する」ことと連携させて後押しすることが掲げられた。こうして2020年に控えるスポーツの祭典を、「多くの人が創造性を発揮する文化の祭典」として位置付けることで、様々な文化イベントが開催、企画された。また、既存の多くの文化イベントも、スポーツイベントと並んでTokyo 2020 に組み入れられることになった[52]。

50　太田義之「グローバル化とオリンピック文化プログラム──2012年オリンピック大会にロンドンが勝利した理由」、河島伸子・大谷伴子・大田信良編『イギリス映画と文化政策──ブレア政権以降のポリティカル・エコノミー』、慶應義塾大学出版会、2012年、115頁。

51　前掲「文化プログラムの実施に向けた文化庁の取組について〜2020年東京オリンピック・パラリンピック競技大会を契機とした文化芸術立国実現のために〜」。以下、ロンドンでの文化オリンピアード関連のデータもこの文化庁の資料に基づいている。

London 2012 と文化イベント

では東京がモデルとしたロンドンの文化オリンピアードとはどのようなものだったのだろうか。期間は北京オリンピック終了時の2008年9月からロンドンオリンピック終了時の2012年9月までの4年間の計画で、集中的な開催はオリンピック開催の一か月前から閉会式（2012月8月12日）の一か月後までの12週間である。ロンドンの文化オリンピアードには以下の五つの目標が掲げられた。

1. 地球上で最も素晴らしいショー（オリンピック／パラリンピック）において、文化が重要な役割を果たすこと
2. 一生忘れられないような体験を（参加者に）提供すること
3. 英国の類まれなる文化とクリエイティブ産業を、新たな観客に対して紹介すること

---

52 東京2020における「文化オリンピアード」の位置付けと詳しいコンセプトについては、以下の二つの資料を参照のこと。公益財団法人東京オリンピック・パラリンピック競技大会組織委員会「東京2020文化オリンピアードについて」2016年9月26日発表資料、https://www.kantei.go.jp/jp/singi/tokyo2020_suishin_honbu/bunka_renkei/dai3/siryou4.pdf（2020年9月18日閲覧）、公益財団法人東京オリンピック・パラリンピック競技大会組織委員会「東京2020文化オリンピアードについて」2018年3月7日発表資料、https://www.bunka.go.jp/seisaku/bunkashingikai/kondankaito/2020orimpikku_kondankai/pdf/r1403872_05.pdf（2020年9月18日閲覧）。

4. 英国の文化を世界中に発信すること
5. ロンドン二〇一二フェスティバルに参加する機会
   を、すべての人々に提供すること[53]

　この目標のもとに、イギリス全土、1,000箇所以上で
約600件の事業のもと、177,717件のイベントが開催さ
れた。そこには音楽、演劇、ダンス、美術、文学、ファ
ッション、映画、展示会のほかに市民参加型の様々なワ
ークショップも含まれている。参加アーティストは
40,464人。うち6,160人が若手、806人が障がい者であ
った。総参加者数は約4,340万人。文化芸術団体、教育
機関、企業などとの連携は10,940件。実際の実施機関
としては、組織委員会のほかに、政府の文化・メディ
ア・スポーツ省、文化政策を担う半官半民の組織である
アーツ・カウンシル・イングランド、ロンドン市、レガ
シートラスト、各自治体が含まれる。
　実施イベントでは多様性が重視された。シェイクスピ
アの作品を異なる言語で上演する「世界シェイクスピア
フェスティバル」、オリンピック参加国の音楽を紹介す
るプログラム、障がいを持つアーティストたちのアー
ト・イベント、児童によるアニメ制作や映画制作プログ
ラムなどはその一部である。

53　前掲、太田「『オリンピック文化プログラム』序論——東京
　　五輪の文化プログラムは二〇一六年夏に始まる」、12頁にて
　　引用。

文化レベルの向上や、多様性理解など、文化プログラムをオリンピックに導入する効果は多々あるが、その中で日本の文化庁が特に注目したのは、「観光産業への貢献」である。文化庁の発表によると、イギリスの外国人観光客の集客は2012年から2013年、つまり、オリンピック開催から一年間で約5.2%の伸び率を見せた。また、2012年の国家ブランド力ランキングでは、文化関連の項目の評価が向上したことにより、イギリスの順位は5位から4位になり、ロンドンのブランドランキングは、2012年に1位になった点も文化庁は強調している[54]。

　このような効果を見越して、文化庁は2015年7月の基本構想で、文化プログラムの数値目標として、20万件のイベント（ロンドンではおよそ18万件）、5万人のアーティスト（ロンドン：4万人）、5,000万人の参加（ロンドン：4,340万人）、2020年の訪日外国人旅行者数2,000万人の数値目標を掲げている[55]。いずれも2012年のロンドンを上回る数値である。その後、特に美術館と博物館が多く集まる上野を文化プログラムの中心地「文化の杜」として、世界最高水準の芸術文化都市とする構想も発表された。

54　国家のブランド力ランキングとは、2005年から始まった世界最大規模の国際ブランディング調査で、輸出、国家のガバナンス、文化、国民性、観光、移住・投資の6分野に関するイメージ調査を、50カ国18歳以上の人々を対象に行っている。言い換えれば、「訪ねてみたい国、住んでみたい国」のランキングとも言えよう。

3-3　London 2012
——「ゲーム・メイカー」とボランティア精神

　2012年のロンドンオリンピックの成功の鍵の一つは、市民の力による文化とスポーツの祭典であったという点にある。この点も Tokyo 2020 の模範となった。London 2012 の市民ボランティアは「ゲーム・メイカー（Game Makers)」と呼ばれ、7万人の募集に対して24万人の申し込みがあった。ゲーム・メイカーはユニフォームに身を包み、選手や観光客の誘導、試合や文化プログラムの裏方など、障がいのあるなしにかかわらず、ありとあらゆる分野でその個性と才能を発揮した。

　London 2012 組織委員会の委員長、セバスチャン・コー（Sebastian Coe）は次のように述べている。「ボランティアはオリンピックの生命線であり、この国の何千という人々の DNA の一部なのです。」コーのこの言葉は、1948年に開催されたロンドンオリンピックへの言及でもある。第二次世界大戦後最初のオリンピックとなった1948年のオリンピックは、正確な人数はわかっていないものの、市民ボランティアが参加した最初のオリン

55　文化庁資料「文化プログラムの実施に向けた文化庁の基本構想 〜2020 年東京オリンピック・パラリンピック競技大会を契機とした文化芸術立国の実現のために〜」、2015年7月、https://www.bunka.go.jp/seisaku/bunkashingikai/seisaku/13/03/pdf/shiryo_4.pdf（2020年9月18日閲覧）。

ピックとされている[56]。その後、ボランティアは、オリンピックの運営に必要不可欠な存在となっている。

London 2012の「ゲーム・メイカー」に対し、東京ではボランティアを「キャスト」と名付け、大会ボランティアは「フィールドキャスト」、東京都の都市ボランティアは「シティキャスト」と呼ばれる。つまり、オリンピックの舞台に上る出演者、スターである。また、シニアメンバーや小学生たち、日本在留資格を持つ外国籍の人たちの参加、中学校、高校や大学などの教育機関への働きかけと、まさに国民を挙げての参加経路が整えられた。

2012年のロンドンオリンピックに続いて、2016年のリオオリンピックではボランティアはロンドン大会と同じ7万人。そして2020年の東京では大会ボランティアはそれを1万人上回る8万人が募集された。また、開催地となる東京都では別途、都市ボランティアとして3万人が募集された。双方ともロンドンをはるかに上回る人数であるが、現在イギリスの総人口は6,700万人（ロンドンの総人口がおよそ900万人）、対する日本の総人口はおよそその二倍の1億2,600万人（東京が1,400万人）であることを考えれば、イギリスのボランティア率の高さがわかる。

56　国際オリンピック大会の公式ウェブサイトより。https://www.olympic.org/news/volunteers-the-lifeblood-of-the-olympic-games。同ウェブサイトによると、続くヘルシンキオリンピック（1952年）では2,191名のボランティアが参加した。

イギリスでは長年培われてきたボランティア精神の伝統、セバスチャン・コーの言う「DNA」があることも理解しておく必要がある。産業革命以来、大きな社会格差を生んだイギリスでは、ポテト飢饉によるアイルランドからの移民の流入も相まって、相互扶助の精神が早くから培われてきた。この精神が、世界で最初の大学セツルメント運動を引き起こし、国民保健サービスへとつながる牽引力となった。『社会保険と関連サービス』（1942年）の報告者、ウィリアム・ベヴァリッジ（William Beveridge, 1879–1963）も、その「ベヴァリッジ報告書」を受けて、国民保健法、国民保健サービス法、国民扶助法などを次々と成立させた労働党内閣の首相、クレメント・アトリー（Clement Attlee, 1883–1967）も、大学セツルメント運動発祥のトインビー・ホールのレジデントであった[57]。

　個人個人の他者への思いやりの精神はもちろん他国に劣ることはないものの、ボランティア精神の育成、扶植と振興のみならず、その個々の自発的な活動を組織化する動きは、日本ではまだ歴史が浅い。Tokyo 2020における市民ボランティア募集開始時の混乱と、募集する側と応募する側の意思疎通の難しさは、記憶に新しい。2020年のオリンピックは、その意味で日本におけるボ

57　大学セツルメント運動を含むイギリスのボランティア活動の歴史的背景については、以下の図書が詳しい。市瀬幸平『イギリス社会福祉運動史——ボランティア活動の源流』、川島書店、2004年。

ランティア文化の醸成の場とされたと言えよう。

3－4　イギリスの文化政策と創造産業の誕生

London 2012 オープニング・セレモニーの発信力

　我が国の文化オリンピアードの二つのキーワードは、文化オリンピアードのキックオフミーティングでも明らかにされたように、スポーツと文化イベントを通しての地域コミュニティの再生と、その中で育まれるべき創造力の二つである。つまり東北の大震災を経験した日本の地域再生と文化芸術立国となるための次世代育成の結合と言える。

　ロンドンオリンピックがその点で成功したのだとすれば、その二つを支える文化政策の基盤が出来上がっていたからと言えよう。

　そしてもう一つの強みは、イギリスが自国の文化の諸相を明確に意識し、その見せ方を周到に演出し、世界に発信できたことである。それは世界に対する「イギリスらしさ」の演出と国の魅力的な売り込みでもあった。オープニング・セレモニーの芸術監督として演出を指揮したのは、映画監督のダニー・ボイル（Danny Boyle, 1956–）である。代表作『トレインスポッティング』（1996）で特有の風刺と80年代のイギリス音楽を映像の中に織り込み、アンダーグラウンドのイギリス文化を見事に描き出したボイルは、「歴史」と「文化」と「音楽」の三つをキーワードに、イギリス人自身の抱く自国像と、

外の世界が求めるイギリス像を結合してみせた。式典の
タイトル「驚きの諸島（Isles of Wonder）」は、シェイ
クスピアの『テンペスト』にインスピレーションを受け
たものである。ジェームズ・ボンドのエスコートで、ヘ
リコプターからパラシュートでエリザベス女王が開会式
の会場のただ中に降り立つという演出は、確かに観客の
みならず、テレビを見ていた世界の人々の度肝を抜いた。

　産業革命、「ゆりかごから墓場まで」の国民保健サー
ビスの導入、そして女性の参政権運動という歴史上の偉
業の数々がパフォーマンスとして展開され、イギリスの
誇るハイ・カルチャーとポピュラー・カルチャーが手に
手を取り合う。オープニングの構成のみならず、スクリ
ーンと会場でのイベントのハイブリッドな見せ方に至る
まで、このオリンピックが目標として掲げた、文化大国
イギリスの「創造産業」（後ほど詳説）の威力を見せつ
けたのである。ディヴィッド・キャメロン首相がこの開
会式典に、本来の予算の倍に当たる8,100万ポンドを充
てたのもそのためであった[58]。

　イギリスの文化政策は、ドイツやフランスの文化政策
と同じく、芸術を国の経済と切り離せない関係のもとに
置いている。ケヴィン・V・ムルカヒーはオリンピック

58　ロバート・ヒュイソン『文化資産——クリエイティブ・ブリ
　　テンの盛衰』、小林真理訳、美学出版、2017年、242頁。開会
　　式の意図とその内容、および帝国主義の遺産の美化に対して
　　の批判、その他批評に関しては同書の第7章（221–252頁）を
　　参照のこと。

のオープニング・セレモニーと文化政策の関係を論じる中で、オリンピックやワールド・カップなどの世界大会が、政治的なアイデンティティを作り出す手段となっている点を強調し、オープニング・セレモニーというメガ・イベントは、ゲームそのものよりも大きな影響力を持つようになっていると説く。セレモニーはそこに集う人々のみならず、映像を通じて世界の観客に、その国らしさを魅力的な方法、かつだれにでもわかりやすく伝えることが必要とされるショーケースなのだ[59]。

　国らしさの抽出、あるいは創造、そしてその見せ方は、イギリスの文化政策の今一つのDNAでもある。そのDNAの根幹を担う重要な団体が、アーツ・カウンシルである[60]。

アーツ・カウンシルと「腕一本分の距離」

　アーツ・カウンシルはイギリスの文化政策を担う政府外公共機関であり、芸術文化施設や団体の事業および運営を支援、助成している。経済学者として有名な、ジョ

59　Kevin V. Mulcahy. *Public Culture, Cultural Identity, Cultural Policy: Comparative Perspectives.* Palgrave Macmillan, 2016, p.67.
60　アーツ・カウンシルについては、以下の報告書を参照のこと。学校法人東成学園『独立行政法人日本芸術文化振興会　委託事業　イングランド及びスコットランドにおける文化芸術活動に対する助成システム等に関する実態調査報告書』、2018年9月。なおこの報告書は以下で読むことができる、https://www.ntj.jac.go.jp/assets/files/kikin/artscouncil/report20180930.pdf（2020年11月19日閲覧）。

ン・メイナード・ケインズ（John Maynard Keynes, 1883–1946）のもとに1941年に設立された音楽・芸術奨励協議会（Council for the Encouragement of Music and the Arts [CEMA]）がその前身である。その後1946年にアーツ・カウンシル・オブ・グレイト・ブリテン（Arts Council of Great Britain [ACGB]）となり、1994年にイングランド、スコットランド、ウェールズ、北アイルランドの四つに分かれた。現在、全体の統括はアーツ・カウンシル・イングランド（Arts Council England）が担っている[61]。

　設立の目的は、第二次世界大戦で疲弊した国民精神と国家経済のテコ入れ、および失業した芸術家たちの救済にあった。そのために、ケインズは人々を集めることのできる劇場の建設と、イギリス発のハイ・アート（特にオペラとバレエ）の制作と発信を呼び掛けた。同時にアメリカが牛耳る大衆文化に関しても、才能を発掘し支援することを目指した。

　芸術家の社会的な役割と国家の芸術支援の在り方について、ケインズは次のように語っている。

61　2011年に、アーツ・カウンシル・イングランドは五つのエリア（ロンドン、北、ミッドランド、南東、南西）と九つの地方事務所を構える現在の形態となった。なお、1999年の権限移譲改革以降、イギリス政府のディジタル・文化・メディア・スポーツ省（後述）が管轄するのはイングランドのみで、スコットランドの文化政策は、スコットランド政府のもとでクリエイティブ・スコットランドが担っている。

[二つ政党が] 娯楽産業をどう見ていようとも、だれもが芸術家の活動のことを、次のように捉えているのではないでしょうか。あらゆる面でそれは本来個性的で、自由であり、決まりにとらわれず徒党を組まず、制御不能だと。芸術家は心のおもむくままに歩き、どちらへ行けと指図されることはありません。行き先は本人にもわからないのです。しかし彼はほかの人びとを未だ食い荒らされていない牧草地へと誘い、しばしば私たちに食わず嫌いだったものを愛し楽しむことを教え、私たちの感性を押し広げ、本能をより研ぎ澄ましてくれるのです。国が行うべき仕事は、教え諭したり、検閲したりすることではなく、勇気と自信、そして機会を与えることです。(1945年7月12日のラジオ放送でのケインズの言葉) [62]

　これは戦争中のナチス・ドイツの芸術活動規制を意識した声明であった。その後、「腕一本分の距離」（一定の距離）と政府・議会・国民への説明責任が、イギリスの文化政策の土台となった[63]。フランスやドイツの国家主導や地方分権の文化政策とは異なるイギリス独自の政策が、こうして展開してくことになる。このラジオ番組の

---

62 John Maynard Keynes. "The Arts Council: Its Policy and Hopes." *The Collected Writings of John Maynard Keynes*. Ed. by Donald Moggridge, vol.28, Macmillan, 1982, p.368.

二か月前の1945年5月には、総選挙で労働党が過半数の議席を勝ち取り、首相にクレメント・アトリー（在任期間は1945–1951）が就いた。翌年にケインズはこの世を去るが、その年は「国民保健サービス（NHS）法」が成立した年でもある。芸術家たちの救済は、労働党内閣の福祉政策の一環でもあった。同年、ケインズが亡くなる直前にCEMAがアーツ・カウンシル・オブ・グレイト・ブリテン（ACGB）として出発したが、ケインズの「腕一本分の距離」はその後も受け継がれた。1964年、ハロルド・ウィルソン労働党内閣（1964–1970, 1974–1976）において教育・科学省に芸術担当閣外大臣の役職が設けられ、1965年からACGBの資金はこれまでの大蔵省ではなく、教育・科学省から支出されることとなった。初代大臣のジェニー・リー（Janet [Jennie] Lee, 1940–1988）は、それまでの「腕一本分の距離」を文化政策の重要な要素とした。つまり、「間違いをおかし、予測を裏切り、人をあっと驚かす実験的な試みが芸術には必要である」と主張し、その実験に新しい才能の発芽を期待した。その気運の中でビートルズに代表されるイギリスのロックンロールの時代が花開いたのである[64]。

63　アーツ・カウンシル・イングランドの「腕一本分の距離」の政策の変遷とスコットランドのアーツ・カウンシルであるクリエイティブ・スコットランドの政策については、以下を参照のこと。太下義之『アーツカウンシル——アームズ・レングスの現実を超えて』、水曜社、2017年。本書の中で太田は日本における同等機関の必要性も論じている。

しかし、福祉国家のもとで基幹産業の国営化を進めてきたイギリスは、深刻な経済成長停止に陥る。この「イギリス病」の根治のために、1979年発足のマーガレット・サッチャー保守政権下（1979-1990）で荒療治が開始される。新自由主義の到来の中で、個人主義、国営事業・国営産業の民営化、市場の優位へと国策が進み、福祉の公共資金が大幅にカットされた。問題を社会の責任に帰し、政府に解決を求める風潮に対して、サッチャーは「社会というものはない」と明言し、個人の自助を促した。

　アーツ・カウンシルの独立性も見直されることになった。自助が求められ経済的に国に貢献することを目標とする芸術支援により「腕一本分の距離」は大幅に縮められることになる。そして何のために政府が支援しなければならないのか、という明確な理由と目標の提示が求められるようになった。

　同時に企業のスポンサーシップも奨励された。アメリカの文化政策をモデルとして、イギリスでは企業のメセナを統括する芸術企業助成協議会（Association for Business Sponsorship of the Arts：のちに Arts & Business と名称を変える）が1976年に設立されており、イメージ戦略も兼ねて企業が芸術支援に乗り出していた。サッチャー内閣はこの団体に公的資金を直接提供するよう

64　前掲、横山、川端他編著、『愛と戦いのイギリス文化史──1951-2010年』所収、91-92頁。

になる。財政援助を受けるのみならず、芸術も企業から消費者の好みにあわせた商品化の技術を学ぶことが期待されたのである[65]。この中でアーツ・カウンシルも消費者としての観客の動向を調査することで、芸術市場の土台作りに参画していった。

登録商標「英国」──国の文化をブランド化する

その後、1997年にトニー・ブレア労働党内閣（1997–2007）が発足すると、サッチャーの経済政策は、新たな装いをまとうことになる。創造産業（クリエイティブ・インダストリー）の概念のもとに文化支援は経済体制再建の旗印となったのである。

ブレアの文化政策に影響を与えたのは、イギリス内外の高度産業社会が直面する問題に対して提言を行う独立系シンクタンク、デモス（Demos）が、1997年8月に発表した若手研究員、マーク・レナードのレポート『登録商標「英国」──新たなアイデンティティを求めて（*Britain^{TM}: Renewing Our Identity*)』とされる。レナードは、ミレニアムに向けて芸術、ファッション、テクノロジー、建築、デザインの分野にこそ、イギリスの強みがあるとし、そこに国家経済の可能性を見る。提言されるのは、これらの文化を経済そのものへとつなげて考える

65　アーツ＆ビジネスは、後にアーツ・カウンシルの傘下に入る。なお、サッチャー政権下の文化政策に関しては、以下を参照のこと。Robert Hewison. *Culture and Consensus: England, Art and Politics Since 1940*. Routledge, 2015, Chapter VIII（pp.251–294）.

イギリスのアイデンティティ再構築である。

　レナードはまず、以下の現状を指摘する。英国的なる
もの（Britishness）のイメージは、18世紀〜19世紀に
作り出されたものにとどまっていること、社会・政治の
体制に対する国民の信頼が低いこと、自国の経済力に対
する評価が低いこと、「英国製」が消費者意識の中で高
品質につながっていないこと（この論文の中では日本人
の方が「英国製」に対して高いイメージを持っていると
指摘している）、British という言葉を会社の名称に使う
こと自体への躊躇があること、そして Britishness を自
分のアイデンティティとして重要であると捉えている国
民は半分しかいないことである[66]。

　続いてレナードは今までの「ブリティッシュネス」の
伝統と海外から見たイメージ、実際の経済活動と効果を
再検討したうえで、過去と未来をつなぐ、以下のような
要素を提示する。すなわち、「世界の交差点としての UK
（Hub UK）」、多様性を包容する「UK 連合色（United
Colours of UK ［イタリアのファッション企業、ベネト
ンのブランド、United Colors of Benetton の名称をも
じったもの］）」、「創造力の島（Creative Island）」、「経
済チャンス（Open for Business）」、「寡黙な革新者
（Silent Revolutionary）」、「フェアプレーの国（Nation

66　Mark Leonard. *Britain^{TM}: Renewing Our Identity*. Demos,
　　1997, p.2, http://demos.co.uk/files/britaintm.pdf?1240939425
　　（2020年9月14日閲覧）。

of Fair Play）」の六つである。

　この六つのネットワークをレナードは強調するが、特に紙幅を割いて解説しているのが、Creative Island のアイデンティティである。彼はイギリスを「創造性の国」と規定したうえで、昔から「エキセントリック」で「変わりもの」とされるイギリス人観、個人主義と体制への不服従、新しい考えや相違点を重んじる気風<ruby>気風<rt>エートス</rt></ruby>こそが「シェイクスピアやターナー、ディケンズやフランシス・ベーコン、メアリ・ウルストンクラフトやトム・ペイン」を生み出し、映画、デザイン、建築、音楽、コンピューター・ゲームやファッション分野での成功を導いている、と述べる。この創造性こそが90ものノーベル化学・物理・医学賞の受賞につながり、医療分野での最先端技術を可能にし、エンターテイメント分野での経済的な成功の土台となっているのである[67]。注目すべきは、レナードが医療や科学技術の発見や技術革新を、コンピューター・ゲームや大衆文化と並べてイギリス人の「創造性」として提示していることだろう。

　提言書の最後でレナードは国民がこの新しいアイデンティティの構築に参加することの必要性を説く[68]。そのためには政治的・文化的なアイデンティティを経済力と結び付けて考察し、専門家のチームによって国民参加を

67　同上、pp.47-51. ここでレナードは実際の経済効果のデータを挙げている。
68　同上、pp.60-61.

可能にする明確なヴィジョンをトップダウンで提示する必要がある。こうしてブレア政権が旗印として掲げることになる「クリエイティブ・ブリテン」が誕生することになった。

　ブレア政権に影響を与えた今一人の人物は社会学者のアンソニー・ギデンズ（Anthony Giddens, 1938-）である。ギデンズはアトリー政権後の福祉国家による積極的な国の介入を第一の道、サッチャーの新自由主義に基づく「小さな政府」を第二の道としたうえで、市場を利用しながら、個人に与えられる機会の平等を可能とする「第三の道」を提唱した。つまり、国家主導の助成金支給や優遇措置といった福祉対策ではなく、個人の持っている人的資源（ヒューマンリソース）に着目し、それらの発掘と市民社会の活性化を基盤とした、積極的な福祉（ポジティブ・ウェルフェア）の導入である[69]。一人ひとりの市民を支援対象ではなく資源とし、個人の身近な集まりとしてのコミュニティ内で、その資源を活用するという変化を促した視点は、レナードのBritishnessの発見と共通するプロセスである。

　ここから二つの文化芸術の役割が見えてくる。一つはナショナル・アイデンティティに読み替えられ、かつそのアイデンティティの価値を上げうる商品として。二つ目は、同じくナショナル・アイデンティティのもとにコ

69　Anthony Giddens. *The Third Way: The Renewal of Social Democracy.* Polity Press, 1998.（アンソニー・ギデンズ『第三の道——効率と公正の新たな同盟』、佐和隆光訳、日本経済新聞出版、1999年。）

ミュニティの質を上げる社会的包摂のツールとして。前者は創造産業という概念を具体化し、後者はそれらを社会へとつなげるプロジェクトへと結実していった。

ディジタル・文化・メディア・スポーツ省の設立と創造産業

こうして、ブレア内閣発足と同時に国民文化遺産省（Department of National Heritage: 1992年に設立）が改組して、文化・メディア・スポーツ省（現在のディジタル・文化・メディア・スポーツ省 [DCMS: Department for Digital, Culture, Media & Sport]）が開省することとなり、アーツ・カウンシル・イングランドの資金はそこから出されることとなった。そして初代の閣内大臣、クリス・スミス（Chris Smith）のもとで1998年に『創造産業マッピング報告書（*Creative Industries Mapping Documents*）』が発表された。現在この報告書は、人々の創造性に基づいた活動が経済に与える活性力を可視化した最初の報告書とされている。2001年にも新しく調査した同報告書が出された[70]。2001年の報告書は創造産業を、「個人の創造性、技術、才能に端を発し、知的

70　報告書は、以下で読むことができる。https://www.gov.uk/government/publications/creative-industries-mapping-documents-1998（1998年の報告書）、（2020年11月20日閲覧）、https://www.gov.uk/government/publications/creative-industries-mapping-documents-2001（2001年の報告書）、（2020年11月20日閲覧）。

財産を生み出し、活用することを通して国富や雇用を創出する可能性を持った産業」と規定している。DCMSは、国内の人々の創造的活動を調査し、分類し、そのカテゴリー間のみならず、旅行業など、ほかの経済活動とも関連付けることにより、具体的に国の文化産業を規定し、どのように支援していくのかを探った。

この中で創造産業とされたカテゴリーは、「広告」、「建築」、「芸術と骨董品市場」、「工芸」、「デザイン」、「デザイナー・ファッション」、「映画、ビデオ」、「コンピューター・ゲームなどの対話型ソフトウェア」、「音楽」、「舞台芸術」、「出版」、「ソフトウェアとコンピューター関連サービス」、「テレビとラジオ」の13の産業である。報告書の中では、それぞれの業種の総収益、雇用、輸出額が挙げられ、地域ごとの動向が発表された。2001年の報告書によると、イギリスの創造産業の2000年の総収益は1,125億ポンドで、GDPの5%を超えており、1997年より16%の成長を見せている。総収益でのトップ3は「ソフトウェアとコンピューター関連サービス（364億ポンド）」、「デザイン（267億ポンド）」、「出版（185億ポンド）」。雇用数のトップ3は「ソフトウェアとコンピューター関連サービス（555,000人）」、「出版（141,000人）」、「音楽（122,000人）」。そして輸出額では、「ソフトウェアとコンピューター関連サービス（27億6,100万ポンド）」、「出版（16億5,400万ポンド）」、「音楽（13億ポンド）」がトップ3となっている。

3-5　創造産業と教育、
　　　　そしてコミュニティの再建

教育の重視と次世代の育成

　一方でブレア首相は、「クール・ブリタニア」の標語とコンセプトを打ち出し、ハイ・カルチャーのみならずポピュラー・カルチャーに焦点を絞った国家ブランド戦略を実行に移した。ここでもユニオンジャックはクールなイギリスというブランドのロゴとなった。

　ブランドとしての「クール・ブリタニア」の流行は短命で、2000年に入ると飽きられ姿を消していく。しかし、創造産業は、独立したカテゴリーではなく、互いのネットワークの中で捉えられ、活動を発展・展開させていった。特に2000年代に入って、この領域横断的な活動は、各カテゴリーが成熟していくにつれて勢いを増していった。文学作品の映画化や舞台化はその良い例であろう。芸術が、コミュニケーション分野やIT、知識産業と手を組む時代の到来である。2001年の『創造産業マッピング報告書』によると、イギリスの映画制作はこれまでの記録を大きく塗り替える躍進を見せた。2000年にUKフィルム・カウンシルが生まれ、映画産業に携わる人々の支援、育成、企画開発の助成が行われるようになったことはその証拠でもある[71]。特に多様な人々を集めるニューヨークやロンドンなどの大都市では、領域横断の傾向に拍車がかかっていく[72]。このようなネットワーク作りのできる人材開発もまた、重要視されていくよう

になった。

　人的資源の開発の一環として、教育はブレアが特に力を入れた点である。そのプロジェクトに創造産業も協力した。美術館も展示物と観客とのつながりを意識する様々な仕掛けを提示した。美術が個人にとってどのような意義があるのかという教育の役割を美術館自身が引き受けていくようになったのである。こうして創造的な活動が経済のみならず、コミュニティや教育とのコネクションの中で文化政策に大きくかかわっていった。

　2001年の『創造産業マッピング報告書』を見ると、文化政策と教育の関係が冒頭から打ち出されている。序文の中で21世紀に最も成功が見込まれる経済的かつ社会的な活動は創造性に基づくものだとしたうえで、クリス・スミスは畳みかけるように教育の重要性を強調する。

　　私は、国が創造性を教育の中心に据え、子供たちがその内なる才能を磨くことを奨励したいのです。だからこそ、去年の7月に「クリエイティブ・パートナーシップ」プログラムを立ち上げ4千万ポンドの投資を行う旨を発表いたしました。このプログ

71　ブレア政権の文化政策の中での映画の立ち位置については、前掲、河島・大谷・大田編『イギリス映画と文化政策──ブレア政権以降のポリティカル・エコノミー』を参照のこと。

72　Charles Landry. "London as a Creative City." *Creative Industries.* Ed. by John Hartley, Blackwell Publishing, 2005, p.238.

ラムでは学校、芸術やそのほかの創造的な活動を行う機関が連携して、特に経済的に恵まれない16の地域に住む生徒たちすべてが才能を発見する機会を与えることを目指します。

　私は、すべての若者たちが広範囲にわたる活動の中で、自分たちの創造性を表現し、ほかへとつなげる機会を得てほしいのです。その中には将来創造分野で働く可能性も含まれています。そのために去年の4月に「あなたの創造的な未来」事業を開始しました。これは創造産業のキャリア教育のための初めてのガイドブック出版企画で、10月にはウェブサイトも開設されています。

　私は、すべての人々が私たちの美術館や博物館、ギャラリーに所蔵されている豊かな文化財を鑑賞できるようにしたいのです。だからこそ、閲覧可能なインターネット上の情報を充実させ、「カルチャー・オンライン」の企画を進めているのです[73]。

　この序文で語られるように、教育、およびキャリア教育のプログラム展開は、産業の未来の担い手を創造する

73　前掲、2001年の『創造産業マッピング報告書』の序文、p.3を参照のこと。ここで紹介されている事業の具体的な内容、運用、撤退に関しては、前掲、ヒュイソン、『文化資産——クリエイティブ・ブリテンの盛衰』、99–103頁を参照のこと。

ためのみならず、文化的素養を持った才能が、今後の創造産業をけん引していくとの思想に基づいている。イギリス文化史研究者のロバート・ヒュイソンは「21世紀が幕を開けてから、『リーダーシップ』は現代経済の抱える問題の源であり、解決法でもあった」と言う[74]。文化セクターが産業に果たす役割は大きい。芸術とは一回限り、一期一会の世界である。その中で「ブランド」としてのアイデンティティを保ちながら、変化し価値を生み出していく。ここに新たな投資と利益の可能性が生まれる。流れ作業の中で同じ商品を作り続ける手法とは対極にあるこの臨機応変のしなやかさと才能こそが、これからの創造的な産業を担っていくのである[75]。

　2001年までスミスはブレア政権下でDCMSの閣内相を務めたあとも、若者の教育にかかわり続けた。2002年からはヒュイソンたちのタスクフォースによる文化リーダーシップ育成の構想が「クロア・リーダーシップ・プログラム」としてクロア基金のもとに立ち上がり（2003年度から活動開始）、スミスは2004年から初代ディレクターに就任した（2008年まで）。また2006年から11年まで、政府の予算を得て、「文化リーダーシップ・

74　Robert Hewison. *What is the point of investing in cultural leadership, if cultural institutions remain unchanged?—Not a Sideshow: Leadership and Cultural Value: A matrix for change.* Demos, 2006, p.13. このレポートは以下で読むことができる。https://culturehive.co.uk/wp-content/uploads/2013/04/Demos-Leadership-and-cultural-value1.pdf（2020年9月14日閲覧）。

プログラム（CLP）」の活動が展開されたが、この立ち上げにかかわったのもスミスである。ここでは創造産業セクターで今後活躍していく若者たちの教育をはじめとし、起業家の育成、および社会的弱者のエンパワーメントが目標とされた。

コミュニティの再建

　また、コミュニティの抱える問題の発見と創造的な解決を目指す社会的包摂のプロセスに芸術活動が導入され、数多くのNPOとの連携のもとでプログラムが実施された。老人と若者、様々なSOGI（Sexual Orientation and Gender Identity）の認識者やLGBTQ＋の人々、障がいのあるなし、人種や宗教、ホームレスの人々など、コミュニティを形成する多種多様な人々が互いを認め合い協働して生きていくための方法を、創造産業にかかわる人々や、社会学者、民俗学者、心理学者、福祉関係者たちが、住民と共に模索する場に芸術や創造的な取り組みと思考が導入されたのである。多様な特性を持つ人々

75　同上、pp.58-59. また、ヒュイソンたちの掲げる文化リーダーシップ構築の重要課題については、以下を参考のこと。Robert Hewison and John Holden. *The Cultural Leadership Handbook: How to Run a Creative Organization*. Routledge, 2011. ここでは八つの課題、「文化リーダーシップが必要な理由」、「リーダーシップとは何か」、「自分の価値を知る」、「文化の価値とは」、「創造性」、「人的資源の活用」、「運用スキル」、「リーダーシップの取り方」について具体的な解説と取り組み方が語られている。

が共に創作活動を行うコミュニティ・アートや、ホームレスの人々が中心となって身体表現を通して自分を見つめなおし、社会に出ていくきっかけを作るエンパワメント・プログラムは、その一部である。

　教育や社会的包摂プログラムのツールキットや成果の見せ方、質的・量的な社会調査法に基づいた評価法の開発を同時に進めることで、イギリスの文化政策は、プロジェクトの立ち上げから成果報告までを一つのモデルとして世界に発信するフラッグシップとなった。アーツ・カウンシルはそれらの実動部隊であり、アドバイザーである。

「創造都市」という背景

　もちろんこういった文化プログラムに「参加する」ことを促す仕組みがなくてはならない。これはプログラムの参加者のみならず、リーダーとなるアーティストの協力を促すことでもある。1997年のブレア新内閣発足と同時に社会的排除部が設置され、芸術とスポーツがそのアクション・プランの一部となった際に、チャールズ・ランドリーが開設したコメディアのメンバーも立案と実施に参加した。本書「はじめに」で引用したとおり、ランドリーは「想像しているものを現実や目に見える形に変えていく」ことのきっかけこそが芸術であるとし、「芸術は他のほとんどの行為にもまして、創造力、発明、革新につながる」と断言している。ここですでに芸術の意味は拡張している。今まで芸術の舞台と考えられてき

た美術館や劇場、コンサートホールを出てさらに広がることが可能な思考と行為となったのである。コミュニティのためのアートという概念の構築と、その理念を実際のコミュニティ・アートとして実施することは、こうしてまちづくりのツールとなっていった。

　チャールズ・ランドリーが推進者の一人でもある創造都市（creative city）の概念と議論は、創造産業の構想に先立ち、上記の議論に基づいて1970年代から始まっていた。急速に発展するグローバリゼーションと知識情報産業の進展は、一方で都市への人口集中と中心部の空洞化、そして農村などの地域社会の衰退と荒廃をもたらしたのみならず、地球レベルでの自然破壊と富の分配の著しい偏りという問題を生んだ。このような地球規模の課題に対して、欧米諸国の都市を中心に、問題解決の試みが展開された。その中の一つは芸術・文化をツールとした都市再生である。

　しかし、ツールとしての芸術と文化はそれぞれの地域で様々な形態で展開されている。ユネスコは、「文化的多様性」のもと、2004年に創造都市ネットワークを立ち上げ[76]、現在、「デザイン」、「工芸・フォークアート」、

76　創造都市に関しては以下の本が詳しい。佐々木雅幸『創造都市への挑戦——産業と文化の息づく街へ』、岩波書店、2012年。昨今の動向については、佐々木雅幸総監修『創造社会の都市と農村—— SDGs への文化政策』、水曜社、2019年が、国内外の都市や農村における活動を紹介している。佐々木氏が理事を務める「創造都市ネットワーク日本」のウェブサイト、http://ccn-j.net/ も参照のこと。

「メディアアート」、「食文化」、「音楽」、「文学」、「映画」の七分野で創造都市を認定し、都市間の交流を進めている[77]。

---

[77] 日本でも文部科学省が率先して力を入れ、およそ170の自治体が「創造都市ネットワーク日本」に加盟することを目指しており（2021年3月現在、認定されている都市は9都市）、来たるオリンピックが創造都市認定の動きを加速すると期待されている。

第4章
創造産業という文化政策に翻弄される芸術

4-1　ストリートのアートとオリンピック
——だれのためのアートか

　1997年以降、イギリス政府からのアーツ・カウンシルへの予算は増え続けたが、2008年の金融危機後2010年5月にディヴィッド・キャメロンを首相とする保守・自民連立政権（連立政権としては2015年まで）が発足すると、財政難のあおりを受けて、DCMSへの予算は大幅に削減された。結果としてアーツ・カウンシルの予算もカットされてしまう。しかしLondon 2012に向けて、1993年に成立した国営くじ法による国営くじ基金からの資金、政府と大ロンドン庁とロンドン開発公社からの資金でオリンピックと文化オリンピアードを成功へと導くために多額の予算が組み立てられた。前章でも述べたようにLondon 2012は、イギリスの創造産業と文化政策の巨大な成果発表の場でもあり、ツーリズムと経済復興につながる。オリンピックに課される文化プログラムは、イギリスへと人々を引き付ける強力なマグネットだった。クリエイティブ・ブリテンの掲げた若い世代の教育と社会的包摂は、London 2012の重要なテーマであり、IOCへの売り込みの強力な武器だった。低所得者層の

多いイースト・ロンドンをオリンピックの会場の一部とし、再開発を進めるという目標は確かにIOCにとって魅力的なものだったことも前述した通りである。

　この過程でストリート・アートは、London 2012というイベントに巻き込まれていくことになった。2–3でも紹介した建築史と都市論の研究者、サビーナ・アンドロンの論文は、国家ブランドの巨大マーケットとも言えるツーリズム産業が、ストリート・アートを町のブランディングに組み込んでいくプロセスを紹介する。バンクシーのアートはもちろん観光客のお目当てであるが、美術館とは異なる町という巨大なギャラリーはガイドを必要とする。イースト・ロンドンにある無数のグラフィティの中から選び出されたものが、ガイドの口を通して読み解かれ、物語化され、ツアー参加者のSNSを通してその物語が拡散していく。作り手は、町の依頼でリーガルな創作を行い、それがブランディングにつながっていく。さらにここにかかわる産業は、出版、そしてインターネットやSNSなどのコミュニティツールやソフトウェアである。もともと、時に危険を冒しながらも特定の場所を見つけて描くというサイトスペシフィックだったストリートのライティングは、決められた場を与えられ、無秩序に秩序が与えられ、見せやすいコレクションのように集められ町の資本となっていく。

芸術はだれのものか—バンクシー作品をめぐる訴訟問題
資本となると、次にコピーライトの問題が持ち上がる。

少々寄り道となるが、論を進める前に抑えておきたい点がある。本来は無許可で公共の建物に書かれていた落書きは、だれのものなのか。そこにコピーライトは生じるのだろうか。

2020年9月にこの問題をめぐって一つの事件が起きた。発端はバンクシーが、エルサレムのウェスト・バンクの壁に描いた作品《花束を投げる人（Flower Thrower）》が、グリーティングカードに勝手に使われたことにあった。この件をめぐって、バンクシーはカード会社を相手取って訴訟を起こした。二年間の戦いの末、2020年9月にバンクシーが身を引かざるを得なかったのは、作者として、名乗り出ることができない（あるいは拒否した）ためである。しかし、この戦いをきっかけに、バンクシーは2019年から自らのオンラインショップ　Gross Domestic Product —— The homewares brand from Banksy™ を開始しており（GDP、つまり「国内総生産」とのかけ言葉で、「最悪な家庭用製品」とも読み取れる）、直接この公式オンラインショップから本人がスタジオで作成している絵画やホームウェアを購入できる仕組みを作った。サイトに入ってみると、「グロス・ドメスティック・プロダクト™ …芸術のおかげでイライラする生活を（Gross Domestic Product™…*where art irritates life*)」という特有の売り言葉が目に飛び込んでくる（"Art Irritates Life" は80年代〜90年代に活躍したオーストラリアのアーティスト集団 Mambo の作品集［1994］の題名でもあった）。多額の金額で競り落とす

のではなく、消費者とアーティストが直接つながるこの方法は、いかにもバンクシーらしくその作品の購入法も一風変わっている。まず、購入は一人一点まで。そして、購入希望を登録し、選抜結果を待つという仕組みである。自筆サイン入りの作品も市場で付けられている価格よりも驚くほど安く抑えられ、購入の可能性がだれにでも平等に与えられている。

　選抜の決め手は登録する際に出される、ある質問への答えである。登録者は課される質問に50単語以内で答えなくてはならない。回答内容は差別的であったり、ヘイトスピーチ的なものは許されない。実際に登録画面に入っていくと質問が出される仕組みだが、開店当時の質問は "Why Does Art Matter？（どうして芸術は必要なのか？）" であった。その後、年が明けてすぐにパンデミックが始まったことを考えると、なんとも時宜を得た質問であったと言わざるを得ない[78]。

　しかし、コピーライトの問題は、当然ながら消費するものの責任にもかかわってくる。文化科学の研究者、ジョン・ハートレーは創造産業を「コピーライト」あるいは「コンテンツ」産業として、つまり「製作」と「商

78　オンラインショップのウェブサイトは、https://shopgross domesticproduct.com/。残念ながら2021年3月現在商品はすべて在庫切れの状態で、購入者選択のためにいかなる質問が課されているのかを確認できていない。ウェブサイトによると、EBay ならぬ公式の中古店、BBay も近々開店予定となっている。

品」の二つに還元されて論じられる傾向にあると指摘しながら、そこにもう一つの要素として、消費者の役割を加える[79]。つまり、商品の持つ意義を消費する側が読み替えつつ、自分にとって意義あるものとして受容する消費行動である。バンクシーの問いは、消費者個人にとっての芸術の意義を考えさせ、創造活動への関与を促している。

4－2　London 2012 とイースト・ロンドンの戦い

いまだ定まらないストリート・アートのコピーライト

2019年に出版された *The Cambridge Handbook of Copyright in Street Art and Graffiti* は、ストリート・アートにおけるコピーライトを考えるためのケース・スタディである。ストリート・アートとグラフィティのコピーライトをめぐる南北アメリカ、ヨーロッパ、アジア、アフリカ、オーストラリア各地域のいくつかの国のケースが紹介されているものの、それぞれの国では、いまだにはっきりとした法律の制定は日の目を見ていない。描かれた場所の所有者や近隣のコミュニティの受けとめ方の問題もある。また、本書の第2章でも述べた通り、ストリート・アートの定義は統一されておらず[80]、ライターやアーティストたちが自分の立場をそのときどきでど

79　John Hartley. "Creative Identities." *Creative Industries*. Ed. by John Hartley, Blackwell Publishing, 2005, p.115.

う考えるのかによっても権利への意識は大きく変わって
くる。あくまでアンダーグラウンドで活動する道を選ぶ
のか、認可された中での活動なのか。そのような異なる
創作の意志を、そもそも法律がコントロールしてよいも
のなのだろうか。法律も、専門家を含めた人々の意識や
定義の足並みがそろわないまま、自由な行為であったは
ずの「落書き」は境界線のはっきりしない囲いの中に閉
じ込められ、新たな創造行為として作りかえられていく。

London 2012——「レガシー」の戦い

　この問題を一気に浮上させたのが、London 2012でも
あった。London 2012はイースト・ロンドンのレガシー
（伝統）をオリンピックというレガシー（次につなげる
遺産）[81]で文字通り上塗りしてしまったからである。イ
ースト・ロンドンの再開発と再生という目標の中で、ス
トリート・アートは何をレガシーとするのかをめぐって
各区当局との縄張り争いの場となった。

80　この研究書の序文では、graffiti を自分の名前や言葉など文字
　　を中心としたものであり、仲間うちのルールにのっとった行
　　為であるのに対し、street art はイメージを中心としたもので
　　ある、と定義しているが、各章の著者によっても言葉の使わ
　　れ 方 は そ れ ぞ れ で あ る。*The Cambridge Handbook of
　　Copyright in Street Art and Graffiti.* Ed. by Enrico
　　Bonadio,Cambridge UP, 2019, p.9.
81　オリンピックでは、大会が終わったあとも引き続きオリンピ
　　ックで掲げた精神を引き継ぎ、歴史・文化・教育・環境など
　　の各方面にわたって持続的な活動を進めることが奨励される。
　　これらの活動を一般にはレガシーという言葉で表している。

問題は、オリンピックに向けてイースト・ロンドンの「浄化」が始まったことに端を発する。イースト・ロンドンはバンクシーをはじめとし、すでにストリート・アートのメッカとして知られている。この「地球上で最も素晴らしいショー」を鑑賞しにロンドンに来る人々は、再開発されたイースト・ロンドンに足を運び、壁の上のアートにも引き寄せられることは間違いない。

　こうして、区による壁の洗浄とストリート・アートの選別が始まった。バンクシーなどの有名アーティストの作品、オリンピックを好意的に描いた作品は保護の対象となり、無名のライターのタグや、オリンピックを批判する作品は、違法な落書きの烙印を押されて洗い落とされたり上塗りされていく。コピーライトを持たないストリート・アートは落書きに対する当局の徹底的な不寛容の法則に基づいて消されていくことになった。

　もちろんバンクシーをはじめイーストを含むロンドンで活動する数々のアーティストたちにとって、オリンピックは格好のテーマだった。国が地域再生を口実にしたように、アーティストたちはオリンピックを使ったのである。バンクシーは投下した場所は明かさないまま、2012年7月23日に公式サイトで新作の発表を行った。一つはやり投げの選手が槍の代わりにミサイルを投げようとしている《ハックニーはオリンピックを歓迎します（Hackney Welcomes the Olympics）》。そして高跳びの選手がフェンスを飛び越えてぼろぼろのマットレスの上に着地しようとする《青カビに向かって（Going for

Mould) [訳注：Going for Gold（金メダル（あるいは大金）に向かって）を揶揄している]》の二つである。地域再生という謳い文句にのせられて高く飛んだ住民たちの落ちる先は忘れられ置きざりにされたぼろぼろのマットレスということだろう。ロンドン西部のイーリングで許可された壁にオリンピック批判のアートを描いたMau Mauの絵はイーリング区当局によって制作終了6日後に白ペンキで上塗りされた。彼の絵は聖火の代わりにもくもくと黒煙を吐くコカ・コーラのカップを持って走るドナルド・マクドナルドのカリカチュアだった（図7）。コカ・コーラもマクドナルドもLondon 2012のスポンサー企業である。彼の胸には、この二つの企業以外にスポンサーとなっている大企業のロゴ[82]。ポケットにねじ込んだ札束が零れ落ちている。背後には五輪のマーク。明らかにオリンピックの拝金主義と健康志向を謳い上げるファストフード企業のご都合主義を非難したものであった[83]。

　バングラディッシュ・レストランが軒を並べるイース

82　2006年に制定されたロンドンオリンピック法では、来場者にスポンサー企業以外の名前が入った服を着用させないことが決められていた。前掲、ヒュイソン『文化資産──クリエイティブ・ブリテンの盛衰』、230頁。
83　皮肉なことだが、オリンピックのスポンサーとしてコカ・コーラは、ストリート・アーティストのルーク・エムデン（Luke Embden）を迎えて「尊敬、卓越、友情（Respect, Excellence, Friendship）」をキーワードにした10代の少年少女向けのオリンピック壁画プロジェクトを主催した。

図7　Mau Mau《オリンピックのお持ち帰り逃げ (Olympic
　　　Takeaway)》、2012年。ロンドンのオリンピック批判のこの
　　　作品は、制作が終わってから6日後に右のようにイーリン
　　　グ区当局によって塗りつぶされた。(出所：注84参照)

図8　ROA《鶴（Crane）》、2010年（左）がバナーで覆い隠され
　　　たのを受けて（右）、住民たちは請願書を提出した。ROA
　　　のほかの作品をはじめ、住民たちの訴えによって守られる
　　　ストリート・アートはほかにもある。(出所：注85参照)

ト・ロンドンのブリック・レーン近くではベルギー出身
のストリート・アーティストROAによる巨大な鶴の壁
画（建物の所有者たちの承認を得て描かれたもの）（図
8）が「カレーの町2012（Curry Capital 2012）」の巨大
なバナーによって覆い隠された。地元の人々がバナーを
かけたタワーハムレッツ区議会に1,700名の署名と共に
請願書を提出することで、ようやくバナーは外された[84]。
請願書では、カレーレストランが並ぶエリアは、大通り

から入ってこの壁画にたどり着く前にあること、同バナーはほかの場所にも数多くかけられていることを指摘したうえで次のように訴える。

　　私たちのコミュニティにとって創造性は重要な要素です。宣伝が重要であることは認めます。しかしこの場所は、宣伝の場所ではありません。私たちは、これを機に区議会がクリエイティブ・コミュニティに反対するのではなく、共に歩むきっかけを見出してくださることを望みます。そうすれば議会はさらに多くの住民たちの意見の代表となり、イースト・ロンドンがバンクシー、ベン・アイン、そしてＲＯＡといった世界で知られたアーティストたちが活動を続けるユニークな場所であることを可能とするのです[85]。

　ここでもう一度、同じタワーハムレッツ区の《ケーブル・ストリートの戦い》（本書第2章、2–2）に戻ってみよう。修復されたこの壁画が公開されたのはオリンピック開催年の前年に当たる。国やロンドン市が推奨したい町のブランド（カレーの町）、地域が押し出そうとする

84　Rebecca Cafe. "London 2012: Banksy and street artists' Olympic graffiti." BBC News, 24 July 2012, https://www.bbc.com/news/uk-england-london-18946654（2021年1月11日閲覧）。
85　「鶴を救え」キャンペーンの請願書は次で全文を読むことができる。"Save The Crane." https://www.change.org/p/tower-hamlets-council-save-the-crane （2021年1月11日閲覧）。

コミュニティのアイデンティティ（移民の町）、そして
アーティストと一部の住民たちが抱くコミュニティのア
イデンティティ（クリエイティブ・コミュニティ）の三
つ巴の衝突がイースト・ロンドンで起こっているのであ
る[86]。

　縄張り争いは2012年の夏だけでは終わらなかった。
2013年、イースト・ロンドンで活躍するストリート・
アーティスト集団、バーニング・キャンディ・クルー
（Burning Candy Crew）など、地元のアーティストの
作品がオリンピック・レガシーの公共芸術部門プロジェ
クトのためにペンキで塗りつぶされてしまったのである。
こうしてクルーの作品をはじめ、リー・ナビゲーション
の川沿いに描かれていた作品が消され、新たなストリー
ト・アートがその上に描かれることになった。招へいさ
れたのはブラジル、スウェーデン、イタリア、スコット
ランド、オランダのストリート・アーティストたちだっ
た。

　この川沿いのプロジェクト（カナル・プロジェクト）
を監修したのは、アーティスト、作家であり、2008年
のストリート・アートの展覧会をテイト・モダンで企画
したシダー・ルウィソン（Cedar Lewisohn）だった。

86　この地域再生を巡るグローバルとローカルの関心の齟齬につ
　　いては以下も詳しく説明している。Isaac Marrero-Guillamón.
　　"Expert Knowledge and Community Participation in Urban
　　Planning: the Case of Post-Olympic Hackney Wick." *London
　　2012 and the Post-Olympics City: A Hollow Legacy?* Eds. by Phil
　　Cohen and Paul Watt, Palgrave Macmillan, 2017, pp.205-231.

「公共の場所で、美術館レベルの質の高い展示を行うことを目指す」のが彼の狙いだった。2020年に向けて「オリンピックの精神を引き継ぎ、国際交流を促すため」に20の壁がストリート・アートのために提供され、地元から選ばれた二人のストリート・アーティストがポーランドかブラジルでレジデント・アーティストとして派遣されることも発表された。もちろん地元のアーティストたちにとっての公共性とレガシーはオリンピック・レガシーの目指すものとは大きく異なっている。彼ら・彼女らは、自分たちの作品が公共の場所で美術品として展示されることは願っていない。作品は他者へのメッセージであると同時に自らの自由な創造力の表現なのだ。それこそが、イースト・ロンドンのストリートのレガシーである[87]。

　グラフィティやストリート・アートがリーガルなものとして、その場に存在し続けることを期待されたときに、今までの役割は急激に変化することだろう。同時に今回のパンデミックや差別反対運動により、ストリート・アートは有名・無名を問わず多くのアーティストたち、市民たちの表現ツールとなり、コミュニティを創造するツールとなった。新型コロナウィルスによるロックダウンの間だけの儚い芸術であったとしても、むしろだからこ

87　Oliver Wainwright. "Olympic legacy murals met with outrage by London street artists." *The Guardian*, 6 Aug. 2013, https://www.theguardian.com/artanddesign/2013/aug/06/olympic-legacy-street-art-graffiti-fury（2021年1月11日閲覧）。

そ、強烈なイメージを通してメッセージを伝える本来の意義が今一度息を吹き返し、その力を見せつけている。リーガルなものとして人々に受け入れられるアートとなり、消費される商品となったとしても、少なくとも「落書き」つまり、ボムとして落とされたその風刺や、破壊力を期待し、守ることは消費者としての私たちの役目でもある。

4−3　イギリス創造産業の行方
——経済システムの中の創造力

修正される創造産業カテゴリー

　グラフィティをアートとしてクリエイトしなおすことにはどんな意義があるのだろうか。この問題を、本章の最後にイギリスの文化政策という広い見地から考えてみたい。

　ロンドンオリンピックの経済効果は莫大なものがあったが、その後の創造産業も変化していく。2013年4月にDCMS は各産業の中で創造的な仕事に従事する人々の割合いを、「創造力の強度（Creative Intensities）」として、それをもとに創造産業の見直しを図った。その提案は「創造産業の分類と評価——変更案の審議資料（Classifying and Measuring the Creative Industries: Consultation on Proposed Change）」にまとめられ、審議にかけられた[88]。提案は、大きくわけて15種類の創造産業を規定したうえで、2001年の13のグループを見直

している。そして「芸術と骨董品市場」、「工芸」の二つのカテゴリーを削除し、「デザイナー・ファッション」は「デザイン」と統合。また「映画、ビデオ」と「テレビとラジオ」の統合、「コンピューター・ゲームなどの対話型ソフトウェア」と「ソフトウェアとコンピューター関連サービス」の統合を提言した。

まず、「芸術」の削除はアーティストがすでにカテゴリーとしてある「音楽」、「舞台芸術」、映画などの視覚芸術の中に組み込まれていること、「骨董品市場」や美術館などでの商品販売は創造的な活動ではない、との理由で外された。「工芸」の除外は、2001年の報告書でも課題だった情報不足が今回も問題になった。個人で行っている場合が多く就労人口も少ないためGVA（粗付加価値）の値が換算しにくく、今後どのようにカテゴリー化するかは課題となったまま、除外が提案された。

結局、審議されたあとの新しい主要産業は、以下の九つのグループに分けられ、それぞれに標準産業分類（Standard Industrial Classification）が付加された。「広告とマーケティング」、「建築」、「工芸」、「デザイン（製品デザイン、グラフィック・デザイン、ファッション・デザイン）」、「映画、テレビ、ビデオ、ラジオ、写

88 この変更案はPDF版として、以下で読むことができる。https://assets.publishing.service.gov.uk/government/uploads/system/uploads/attachment_data/file/203296/Classifying_and_Measuring_the_Creative_Industries_Consultation_Paper_April_2013-final.pdf（2020年11月19日閲覧）。

創造産業グループ	SIC	分類説明
広告とマーケティング	70.21	宣伝広報と通信
	73.11	広告代理
	73.12	メディア表現
建築	71.11	建築関係
工芸	32.12	宝石装身具類とそれに類するものの制作
デザイン：製品デザイン、グラフィック・デザイン、ファッション・デザイン	74.1	各デザインの分野での活動
映画、テレビ、ビデオ、ラジオ、写真	59.11	映画、ビデオ、テレビ番組の制作
	59.12	映画、ビデオ、テレビ番組のポストプロダクション
	59.13	映画、ビデオ、テレビ番組の配給
	59.14	映写関係
	60.1	ラジオ放送
	60.2	テレビ番組のプログラミングと放映関係
	74.2	写真関係
IT, ソフトウェア、コンピューター関連サービス	58.21	コンピューターゲームの制作・販売
	58.29	ゲーム以外のソフトウェアの制作・販売
	62.01	コンピューターのプログラミング
	62.02	コンピューター関係のコンサルティング
出版	58.11	本の出版
	58.12	住所録やメーリングリストの出版
	58.13	新聞の刊行
	58.14	雑誌や定期刊行物の出版
	58.19	その他の出版活動
	74.3	翻訳と解説
美術館・博物館、ギャラリー、図書館	91.01	図書館とアーカイブ(記録保管)
	91.02	美術館・博物館の活動
音楽、舞台芸術、視覚芸術	59.2	音響の録音、音楽の制作・著作権管理・マネジメント
	85.52	文化教育
	90.01	舞台芸術
	90.02	舞台芸術のサポート事業
	90.03	芸術の創作
	90.04	芸術関係施設の運営

表1　DCMSによる創造産業の標準産業別分類（SIC）コードとその説明(2015)

真」、「IT、ソフトウェア、コンピューター関連サービス」、「出版」、「博物館・美術館、ギャラリー、図書館」、「音楽、舞台芸術、視覚芸術」のカテゴリーである。つまり、「工芸」は除外予定から復活となったわけだが、その定義は「宝石やそれに関連した工芸品」となっている。また「出版」のカテゴリーには「翻訳と解説」の産業分類が加わり、「音楽、舞台芸術、視覚芸術」には「文化教育」が加わっている点は注目に値する（表1）[89]。

経済的な価値につなげるストラテジー

　創造産業に関しては、各地域も独自の調査を展開している。ロンドン市はいち早く創造産業の特別委員会を設置し、その振興に努めてきた。そして2017年に独自の創造産業の調査報告書を発表している[90]。この報告によると、2016年ロンドン市における創造産業は、62万2,600の雇用を生み出し、全雇用の11.9％を占める[91]。ロンドン以外の平均が4.9％なので、その二倍以上ということになる。さらに創造関連産業では、88万2,900の雇用を生み、2012年からおよそ25％の拡大となっている。

89　この新しいグループについては以下を参照のこと。"DCMS Creative Industries SIC Codes（2015）", http://www.erdfconvergence.org.uk/_userfiles/files/DCMS_Creative_Industry_SIC_codes.pdf

90　Christopher Locks. *London's Creative Industries—2017 Update.* Greater London Authority, July 2017, https://www.london.gov.uk/sites/default/files/working_paper_89-creative-industries-2017.pdf（2020年11月20日閲覧）。

そのうち4分の1は自営かフリーランスである。特に大きなGVAを生んでいる産業は「映画、ビデオ、テレビ、ラジオ、写真」「出版」および「IT、ソフトウェア、コンピューター関連サービス」の三分野である。3–5でランドリーが述べた創造産業の大都市集中の実態は明らかだ。

しかしながら、ロンドンの調査では、問題点もいくつか指摘されている。まず女性の雇用率を見ると、創造産業以外では45.5%なのに対し、創造産業では35.6%とおよそ2割も少ない。また多様性で考えると、BAME（黒人、アジア人、少数民族）に属する人々の雇用は23.4%にすぎず創造産業以外の32.9%からこちらもおよそ10%のギャップがある[92]。

2013年のDCMSの創造産業の見直しは、個人単位での就労状況を見る標準職業分類（SOC）ではなく、経営体として見ていく標準産業分類を採用することにした。個人の就労を可視化できる集合体に落とし込み、経済価値を鑑みたうえで、どのように今後の経済支援活動を展

91　この報告書によるロンドンの創造産業の主セクターは、DCMSの新しい九つのカテゴリーによっている。

92　同時にイギリスの文化政策では多様性への取り組みは長年大きなテーマとなっている。BLM運動が盛り上がる以前より、民族、ジェンダーとセクシュアリティ、障がい、年齢など、社会の中の多様性は社会問題であるだけではない。創造の大きなインスピレーションとなりうることをアーツ・カウンシル・イングランドは唱導し、プロジェクトの実施およびリサーチも重ねている。以下を参照のこと。https://www.artscouncil.org.uk/developing-creativity-and-culture/diversity（2020年9月14日閲覧）。

開してくのかの土台を作っていくことがその目的であろう。それぞれの産業グループに対して異なるストラテジーを展開し、それぞれの領域を横断して、さらに大きな付加価値へとつなげていく。イギリスの創造産業は、そのためのグループとその下位の分類という細かなカテゴリー化が巨大なシステムを作り上げている。

一人の創造的な活動は、まず産業のカテゴリーの中に囲い込まれ、そこから、出版、発信、ツーリズム、商品開発と販売というほかのカテゴリーとのネットワークにのせられていく。その中で自分の作り出したものの所有権すら左右される現状が今の創造産業のもう一つの姿である。同時に「工芸」のように「創造産業」の調査が行き届かないままカテゴリーから外れた活動は、支援の対象になりにくいということになる。

ここで結局は振り出しに戻ることになる。何をもって創造的な産業は規定されるのだろうか。もちろん、DCMSの報告書では定義されている。「個人の創造性、技術、才能に端を発し、知的財産を生み出し、活用することを通して国富や雇用を創出する可能性を持った産業」と。しかし、2013年の提言書では、経済システムを動かすそれぞれの職業の中における「創造性」を判断することの困難さが示唆されている[93]。

「創造性」とはそもそも、どういうことなのだろうか。

93　前掲、"Classifying and Measuring the Creative Industries: Consultation on Proposed Change." p.9の注2を参照のこと。

第5章
クリエイティブ再考

5 - 1　変わりゆく「創造性」

「クリエイティブ」の意味の変遷

　アーツ・カウンシル・イングランドの2010年から2019年までの目標は「全ての人に最上の芸術と文化を（Great Art and Culture for Everyone）」だった。2020年からの10年間のテーマは「さあ、クリエイトしよう（Let's Create）」である。最上の芸術と文化を享受する側から、今度は自分が創造する側になろうというこの呼びかけは、パンデミックの時代になって新しい意味を帯びてくる。

　日本でも私たちの周りを見ると、「クリエイティブ」という言葉は氾濫している。creative、あるいはcreativityとは何を意味するのか。レイモンド・ウィリアムズは、すでに紹介した『キーワード辞典』でcreative という言葉は、もとは神の創造行為であったと述べたうえで、次のように説明する。

　　しかし17世紀末までには、create も creation も現代の意味でふつうに使われており、18世紀の間には、そのどちらも art（芸術）と意識的に結び付

けられるようになり、art も、create や creation と補足し合う方向へと変化していた。18世紀に creative という語が造られたのは、この関係のためである。今では creative は明らかに能力を示す語であるが、まず create と creation が、人間の行為であり必ずしも神の御業という過去の意味ではないということが、一般に受け入れられる必要があった。1815年までには、ワーズワースが画家のヘイドン宛てに「友よ、尊きはわれらが天職、創造の芸術（Creative Art）なり」と自信を持って書けるようになっていた。（中略）creative がそれまでとは一線を画す発達をとげたのは、「芸術（art）」と思想と意識的に結び付けられ、やがてそれが慣例化したときである。このつながりは19世紀初めには意識的かつ強力なものであり、世紀半ばには慣例となった。20世紀には、この能力を言う一般名詞 creativity（創造性）が続いた[94]。

『オクスフォード英語辞典（OED）』を見ると実際には creativity という言葉はすでに17世紀には登場している。しかし、ウィリアムズが指摘するように、20世紀に入って一気にこの言葉は巷に広がり、思想・言語・社会慣習上の様々な活動に使われるようになっている。

94　前掲、Williams. *Keywords: A Vocabulary of Culture and Society.* p.83（前掲、ウィリアムズ『完訳　キーワード辞典』、80頁）。

その解釈の複雑化をウィリアムズはすでに1980年代初
頭の時点で指摘していたわけである。Creative の説明
をウィリアムズは次のように締めくくる。少々長いが、
引用してみたいと思う。

　　[…]creative という言葉は人間の能力を強調して
　いる点で、着実に重要性を増してきた。しかし、どう
　見てもひとつ問題がある。この語は独創性と革
　新性を必然的に強調しているが、［もともとは神の
　業であったという］その来歴を思い出すと、これ
　らの特質がささいな主張ではないことがわかる。も
　ちろん innovation（革新）と novelty（新規性）を
　区別することで、このあたりをはっきりさせてお
　きたいと私たちは思う。ただし novelty には重い意
　味（刷新）も軽い意味（新奇）の双方があるのだが。
　問題が起こるのは、かつて、そして多くの場合、今
　でも高邁で真摯な主張を体現するはずだった語が、
　ある種の活動を総称する表現としてすっかり定型
　化してしまい、慣例化していなければそんな主張
　などだれも考えもしないような行為にまで使われ
　るときである。そのため、焼き直しか紋切り型の
　文学作品までが慣例によって creative writing（創
　作）と呼ばれ、宣伝のコピーライターが人前で
　creative（クリエイティブ）を名乗っている。執筆
　芸術・視覚芸術のほとんどに、単なるイデオロギ
　ーやヘゲモニーの再生産という大きな要素が浸透

していることを思うと、この種のものをすべて creative と呼ぶのは混乱を生むし、ときには深刻な誤解も生じる。しかも、creative が口先だけになればなるほど、この語が本来表わそうとした強調点、人間による創作と革新をはっきりと捉えるのが難しくなる。(強調は原文のまま) [95]

　この状況は21世紀に入って、ますます加速している。以下は、昨今の日本の専門学校や大学の学科名である。クリエイティブアート科、クリエイティブデザイン学科、フードクリエイティブ学科、ゲームクリエイティブ学科、ファッションクリエイション学科、クリエイティブイノベーション学科、クリエイティブ・ビジネスコース……ざっと見ただけでもクリエイティブの文字が氾濫する。
　ウィリアムズが上で述べるようにアートやファッションはすでにクリエイティブな要素を内包しているはずである。同時に「クリエイティブ」と「イノベーション」を重ねることの意味は何だろう。高等教育の意義は、常に過去の知の蓄積の上に新たなものを付け加えていくことではないのか。

21世紀の「クリエイティブ」

おそらくこれらの学科名に使われる「クリエイティ

95　前掲、Williams. *Keywords: A Vocabulary of Culture and Society.* pp.83-84(前掲、ウィリアムズ『完訳　キーワード辞典』、80–81頁)。

ブ」には、新たな意味がある。それは学びの創造性のみならず、将来のキャリアにつながる創造性、つまりビジネスチャンスや社会的・経済的な価値を生み出す可能性を持った学問を意味する。想像をただのアイディアに終わらせず、経済や社会に貢献できる実践へとつなげる方法の模索を意味しているのだろう。すでに学問の世界にも創造産業・創造都市の考えが大きな影響を与えつつある時代に私たちは生きている。

　20世紀後半のウィリアムズにとって、文化をめぐる概念の変革は産業革命を迎えた19世紀に端を発するものであった[96]。21世紀初めの私たちは、現在の情報化の技術革新により、さらなる概念の変革を促されている。創造性も文化も今や産業の大きな一部であり、経済システムの土台となりつつある[97]。

96　ステファン・コリーニ『回顧する創造力——イングランドの批評と歴史』、近藤康裕訳、みすず書房、2020年、265頁。

97　社会学者のリチャード・フロリダは今までの工業社会に代わる、想像力と才能が新たな価値を生むクリエイティブ経済を推奨し、21世紀初頭に既存の価値観に囚われない新しい生活スタイル、新しいアイディアとその実行を可能にする技術を携えたクリエイティブ・クラスの台頭を謳い上げた。リチャード・フロリダ『クリエイティブ・クラスの世紀——新時代の国、都市、人間の条件』、出口典夫訳、ダイヤモンド社、2007年。

5-2　カズオ・イシグロの「クリエイティブ」批判
──『わたしを離さないで』

抑圧としての「創造力」

　ノーベル賞は受賞者に対する栄誉のみならず、その才能を生み出した国家のブランドやマーケットに関わってくることは、マーク・レナードの論文『登録商標「英国」──新たなアイデンティティを求めて』の中でも言及されていた。文学賞の頂点とも言えるノーベル文学賞も例外ではない。受賞作家の作品が世界に向けた商品と化すからでもある。

　2017年のノーベル文学賞の受賞者、イギリス人作家のカズオ・イシグロは、幼少を日本で過ごしたという経験から、日本のマーケットもその恩恵にあずかることができた。臓器を提供するために生まれてきたクローンを主人公にした『わたしを離さないで（*Never Let Me Go*）』（2005年）は、日本でも蜷川幸雄氏の演出によって舞台化されたのみならず（2014年）、テレビドラマ化（2016年）も果たされている。限られた命を精一杯生きようとする若者の姿は、我が国でも人々の心をつかんだ。

　イシグロの作品は、抗えないシステムに搾取されていく創造力を静かな筆致で描く。初期の作品、『浮世の画家（*An Artist of the Floating World*）』（1986年）では、歴史と政治に翻弄される画家の姿を描き、『充たされざる者（*The Unconsoled*）』（1995年）では、芸術によるまちおこしに巻き込まれていくピアニストが主人公に据

えらえている。

しかし、2005年に世に出た『わたしを離さないで』ほど、残虐な搾取をテーマにした作品はないだろう。この作品で重要な位置を占めるのは、芸術や創造性の意味の問い直しである。バンクシーが自分の作品を購入したいと申し出る人々に問いかける "Why does art matter?" の回答は、この物語の中で、明確な形をとって現れる。芸術と創造力は、やがて殺されることが存在する目的となるクローンが、どうにかして生き延びるための術となる（かもしれない）重要な役割を担わされているのである。

臓器提供者の子供たちが日々を過ごす寄宿学校ヘイルシャムでは、アートのクラスが非常に重視されている。生徒たちは、絵画、素描、彫刻、陶芸の制作、そして詩作にいそしむ。時々外部団体のメンバーが来ては、子供たちの作品をいくつか選んで持っていく。この寄宿舎では作品に対してはトークン（代用貨幣）が与えられるというシステムがあり、閉ざされた社会の中で生徒の作り出す芸術作品が経済的な意味を持っていることも示唆される。そしてなんといっても「創造すること（creating）」に秀でているものは、生徒たちの尊敬の的となる。

やがて読者は、この創造力の育成は、ほとんど強制的な力を持って生徒のみならず教員に迫るカリキュラムであることを知る。芸術の才能は、子供たちにとって唯一生き延びられるかもしれない手段であるからだ。芸術も創造性も彼ら・彼女らにとっての脅迫概念となっていく

様子を作品は描き出すのである。

創造力を備えた提供者は、臓器を提供し続けてその命を「全うする」（英語ではcompleteという言葉が使われる）ことを遅らせる、あるいは免れるかもしれない、と教えられたキャシーとトミーは以前ヘイルシャムに生徒たちの作品を熱心に集めに来ていたマリ＝クロードとヘイルシャムの校長だったミス・エミリーに会いに行く。キャシーとトミーに対して、ミス・エミリーから告げられる言葉は以下のとおりである。

　　「私たちがあなたたちのアートを持ち出したのは、それがあなたたちの魂の証になると思ったから。もっと言えば、それで**あなたたちにも少なくとも魂なるものが存在すると証明したかったからなの**。」（強調は原文のまま）[98]

しかし、ヘイルシャムをそのために設立した団体の思惑は結局失敗に終わってしまう。

同じ臓器提供者の友人たちを「介護人（carer）」として見送り、自分自身も近い将来提供者となる運命にあるキャシーの口を通して語られるこの物語には、最初に「1990年代後半」という時代設定がなされている。ミ

98　Kazuo Ishiguro. *Never Let Me Go*. Faber and Faber. 2005, p.255. この本には翻訳がある。カズオ・イシグロ『わたしを離さないで』、土屋政雄訳、早川書房、2006年。

ス・エミリーによると、彼女たちの慈善団体が活発に運動を展開していたのは1970年代後半である。つまりサッチャー政権に入る直前ということになろう。そして1990年代後半には、芸術の力を信じて、臓器提供者たちの命を守り、恋愛や家庭を営むなどのごく普通の生活の可能性を確保しようとしたヘイルシャムの試みは、すでに崩れ去り忘却の彼方に追いやられていることになる。

　一方この1990年代後半は、まさにブレア政権が文化・メディア・スポーツ省を設立し、創造力の強化と教育に打ち込み始めたときと重なる。そして『わたしを離さないで』が出版された2005年は、『創造産業マッピング調査報告書』の2001年版が提出され、そこでスミスが強調した創造力教育とキャリアプログラムが積極的に展開されているときである。

　このイシグロの作品は、イギリスの文化政策の歴史と重なっている。当時のイシグロは、この作品がSFのジャンルにいれられることを拒否していたのだが、これがフィクションではなく、ある意味でノンフィクションであるからだったのではなかろうか。

　イシグロが、一時福祉関係機関で働いていたことはよく知られている。一般からは見えない、そして語られないシステムの中で搾取され殺されていく創造された者たちの目を通してイシグロが描こうとしたのは、このイギリスの文化政策の批判、福祉政策（その中では教育も一つのツールとされている）の批判だったのではないだろうか。同時に、芸術が生死を分けるほどの力を持つと仮

定したこの物語は、ある意味、私たちの周りに氾濫する芸術や創造性に対する脅迫観念を描き出していると解釈できよう。人間の創造力はコミュニティに経済的な貢献を行うことを課される。自由な表現力と個性がゆがめられていくのである。芸術家としてのイシグロは、その現状に対する痛烈な批判を行っているのである。

5-3　それでも人は描き、歌い、踊る

　結局イシグロは創造力を見放しているのだろうか。創造力は私たちを救うことにならないのだから。文学作品という芸術を生みだしながら、イシグロは自らその限界を認めているのだろうか。

　もちろんそうではない。なぜなら、どんな状況にあっても私たちは何かを生み出し続けるからだ。そしてそれが生きている証でもある。

　慈善福祉団体の行政を巻き込んでのヘイルシャムの活動は、1990年代後半には頓挫しており、マリ＝クロードたちにできることはもう何もない。キャシーは別れ際にマリ＝クロードにあることを尋ねる。以前彼女がヘイルシャムを訪れた時に、キャシーは自分の部屋の戸口で彼女がこちらを見ながら泣いているのを目にしたことがあった。そのわけを聞いたキャシーにマリ＝クロードは以下のように告げる。

　　「私が泣いていたのは」しばらくしてから彼女は

近くにいる人たちに聞かれるのを怖れるとでも言うようにとても静かな口調で言った。「寮に入った時にあなたの部屋から音楽が聞こえてきたの。だれかお馬鹿さんがかけっぱなしにしていると思ったのだけれど、寮室に入ったら、見えたのはあなただった。たった一人で、小さな女の子が踊っていたの。(後略)」[99]

　人間は、どんな状況でも常に描き、歌い、踊ってきた。歴史を語り、自分たちの身に起こった哀しみ、喜びを謳い、共に踊る。それがコミュニケーションの一部だった。言語はそこから創造されたものにすぎない。だれもが持ち、だれに命じられることなく自分のために表現する一人ひとりの「創造し、伝える」DNA は、私たち皆の記憶なのである。そしてそれこそが、生きている証なのである。

　そしてその表現が「完全」である必要はない。創造都市思想の源泉の一人に数えられるイギリスの美術批評家、ジョン・ラスキン（John Ruskin, 1819–1900）はその建築論「ゴシックの本質」の中で、彼の愛した中世の建築に見られる数々の表現の不完全さや不規則性を次のように表現した。まず不完全さは「われわれが知るかぎりでのすべての生命にある程度本質的なもの」である。そして

_____

99　同上、p.266。

それは死すべき肉体における生命のしるし、すなわち進歩と変化の状態を示すものなのだ。生きているもののうちで厳密にいって完全なものはひとつもないし、また完全であるはずもない。その一部は衰退しつつあり、一部は生まれつつある。（中略）そして生きとし生けるものすべてのなかにある種の不規則さと欠点があり、それは生命のしるしであるだけでなく美の源泉でもある[100]。

中世のゴシック建築はそのような不完全で自由な人々の表現力が共同して作り上げているものなのだ。

　パンデミックの時代にあって、アートは人と人をつなぎ合わせるツール、新たなコミュニティを作るツールとなった。2020年春、劇場やコンサートホールの閉鎖と共に Youtube を通して、各国の劇場やホールでの過去の作品や演奏の配信が開始された。ここで、創造産業が培ってきた技術革新とネットワークが功を奏したことは間違いない。イギリスは舞台という時間と空間芸術を映像や音声で記録する技術を、1990年代後半から開発し、応用してきた。そのような過去の舞台の映像記録を公開していったのである。いくつものカメラを使って編集された舞台映像は、臨場感に富み、視聴者はあたかも観客

100　ジョン・ラスキン『ゴシックの本質』、川端康雄訳、みすず書房、2011年、52頁。

の一人になったかのような錯覚に陥る。無料配信では映像の中で寄付を募り、視聴者による劇場や舞台の支援を求めた。現在、アーティスト支援のために、世界各国でITによる制作活動と、配信のための助成金も整えられている。

　何よりも重要なことは、この技術を使って自粛中に今まで舞台と縁のなかった人々とも、つながる方法を芸術関係者が模索していることであろう。過去の作品をインターネットを通じて公開するのみでなく、演出家や専門家の解説ビデオや、当時のキャストたちのZOOMによるミーティングもYoutube上で配信し、普段着のキャストの口から作品をより身近なものとしていく試みも伴走させるなどの努力も怠らない。今までの作品や演奏のすばらしさを多くの人々に届けることで、あらためて芸術の底力を示す機会がそこにある。パンデミックの間に劇場やコンサートホールは新たな観客を育て、劇場が再開した時に、実際に足を運んでもらう人々とサポーターを獲得する方法を探り、実行に移している[101]。アーテ

101　2020年夏に自粛が少しずつ解除されてきた様々な都市では
　　ほかにも人々につながる創造的な試みがすぐに展開された。
　　例えばニューヨーク・フィルハーモニックのメンバーは、8
　　月28日にホームであるリンカーンセンターを出て、ブルッ
　　クリン地区の街頭で「バスキング」を行った。戸外で演奏し
　　たのははじめてというミュージシャンたちは、何よりも再び
　　演奏できる喜びと同時に、観客と身近に接し、コロナウィル
　　スで疲れている人々の癒しとなることの意義を痛感している
　　と語っている。Charles Passy. "New York Philharmonic Takes
　　Show on the Road." *The Wall Street Journal,* 30 Aug. 2020.

ィストたちは、自ら、社会の中での自分たちの価値を表明しようとしている。

　ポスト・コロナウィルスの時代が到来した時に、私たちのコミュニティ、そして芸術はどのような姿を呈しているのだろうか。未だに想像することは難しい。しかし、以下のことは言えるだろう。創造することも、芸術を生み出すことも楽しむことも、生きている証であること。そして創造力とは人とつながる力であるということ。そこから私たちは新たなコミュニティを作り出していくことができる。オリンピックが開かれようと開かれまいと、以下のことは確かだろう。

　私たちはすでに新たな「レガシー」を作り出している。

あとがき──アートは日常の中にある

　現在筆者は、火曜日に「居場所」を運営している。横
浜市石川町の中区と南区の境目に位置する町角に立って
いる建物「カドベヤ」を利用した、居場所「カドベヤで
過ごす火曜日」である[102]。

　この居場所は、横浜浜市中区の寿地区（寿町）から中
村川を挟んだ場所に位置する。かつては日雇い労働者の
町として栄えた寿だが、現在は日雇い労働者のための簡
易宿泊所（いわゆる「ドヤ」）が生活保護受給者の住ま
いとなっており、200メートル×300メートルの地区に
120軒以上の宿泊所が立ち並んでいる。住民の多くは、
65歳以上の高齢男性の生活保護受給者である。彼らの
住む場所のほとんどは三畳ひと間であり、台所、トイレ
は共同、風呂やシャワーがついていない宿泊所も多い。
生活保護を受けるためには住所が必要なので、ほとんど
の住民にとって、このひと間が自宅であり終の棲家であ
る。

102　毎週の活動の詳しい紹介は、「カドベヤのブログ」で検索し
　　ていただきたい（https://ameblo.jp/kadobeya2010/）。なお、
　　居場所「カドベヤで過ごす火曜日」の開設と活動の経緯は以
　　下を参照のこと。横山千晶「共にいるということ──居場所
　　『カドベヤで過ごす火曜日』──」『質的心理学フォーラム』、
　　vol.9、2017、14 −22頁。

毎週火曜日に開催する居場所では一時間の「表現ワークショップ」のあとに共に夕食を食べる。だれかのためにおいしいものを作ること。それを「おいしい」と口にしながら食べること。カドベヤに集まる人々の中には、暖かい作りたての料理を口にできない人々もたくさんいる。誰かが創造したものを目で楽しみ、おいしいと言って消費する。これもまた、立派なアートの鑑賞である。

　火曜日のカドベヤのアートは「日々の生活をだれかと共によりよく過ごす術」となっていった。そして火曜日の「日常」が、それ以外の、一人で過ごす日常に変化を与えていくことが目標となった。

　「火曜日のカドベヤ」の扉を開けてから10周年に当たる2020年にパンデミックが世界を、そしてこの小さな居場所を襲った。緊急事態宣言が出される直前、2020年3月最後のワークショップは「みんなでマスクを作ろう」になった。

　それから二か月。火曜日のカドベヤは感染予防をしながら、6月に再開した。カドベヤの「日常」を真に必要としている人がいた。ここでしか、まともな食事がとれない人々がいた。コロナウィルスの感染は、夏になっても衰えを見せず、それでも外に出て働かざるを得ない仲間がいる。この夏の異常な暑さの中で、駅前の路上に立ってホームレスの支援雑誌『ビッグ・イシュー』を売り続ける寿の住民Kさんがいる。そして火曜日のカドベヤでだけ、家庭内ですら交わせない和やかなコミュニケーションが可能である人々がいる。

6月にカドベヤの扉をまた開けようと決めたときに、引きこもり経験者のNさんが、台所に立たせてくれないか、と申し出てきた。家庭では自分の作るものをおいしいと言って食べてくれたことがない、と言う。

　それから毎週月曜日にはNさんから「明日の献立」がメイルで送られてくるようになった。「メインは、このようにしますので、副菜だけ一品作っていただけますか」との依頼に、メインとの組み合わせを考えて、もう一品、絵のパズルを埋める作業をする。寿の住民のKさんは、「6月からカドベヤの飯がうまくなった。今までは横山さん（筆者のこと）が作っていたからね」と言う。

　たまたまカドベヤに参加してくれていたNPOの団体が、この若者の料理を口にして、企画中の「こども食堂＋アート体験」のシェフを頼んできた。現在寿での月一回のこの企画の「食」の部分の陣頭指揮を執るのは、このNシェフである。こども食堂に向けて真においしい献立を作るために、それまでの数回のカドベヤの夕食は、カドベヤの食事以外にその試作品をみんなで食べることになった。同じ献立でもNシェフは一緒に来る親のための味付けと子供のための味付けを変える。こうやって試作を重ねたうえで最もおいしい夕ご飯は、月一回の寿近辺の子供たちとその親御さんの口に入るわけなので、火曜日のカドベヤもこの子供たちの一部となった。子供たちのうれしい顔と、それを見つめる親たちの顔が、カドベヤの一部となったのだ。

アートも創造力も私たちの日常の中にある。日々の営みの中でだれかとつながり、自らの行動がだれかを動かし、その人の日常に変化を及ぼしていくのみならず、その過程で自らも変化していく。一人の力は不完全でもその一つひとつの営みが、補完し合ってコミュニティを作っていく。社会的包摂とは、包摂できるものが排除されてきたものを受け入れる社会システムなのではない。包摂するものは、同時にその相手にも包摂されている。

　新型コロナウィルスによって大きく価値観が変わったこの一年を、何らかの切り口で記録しておく必要があるとの思いから筆者はキーボードに向かった。そしてたくさんの人々とのつながりが「創造力」という切り口を与えてくれた。ちょうどブレア政権が登場する前にランカスター大学でお世話になったジョン・ラスキン研究者のロバート・ヒュイソン教授が、その後イギリスの文化政策に鋭く切込み、自らも参加し、芸術の社会に対する意義を問い直そうとする議論と姿勢からも多くを学んだ。その土台にはラスキンの思想が息づいている。今世紀の若い世代に創造性の意義を伝えようとするヒュイソン教授の態度は、オンラインで大学の学生たちと語り、学び合った過程を本にしようというきっかけを筆者に与えてくれた。
　居場所を共に支えてくださっているカドベヤの皆さんは10年という積み重ねの中で芸術の真の意味を常に筆者に教えてくれてきた。その火曜日のカドベヤと新たに

立ち上げた研究会「創造力とコミュニティ」を支えてくださった慶應義塾大学教養研究センターとヨコハマアートサイトの皆さん、ストリート・アートについて教えてくれたヨコハマ読書会の皆さん、「創造力とコミュニティ」研究会で、パンデミック下のコミュニティでの取り組みと日本の文化政策について貴重な情報と意見をくださった参加者の皆さん、そして多くのアーティストの皆さんにも心から感謝したい。そしてこの本の最初の読者となり、忌憚のない意見をくださった慶應義塾大学出版会の喜多村直之さんがいなくては、この本は世に出なかった。

　その他遠隔で支えてくださった皆さんにこの場を借りてお礼を申し上げます。本当にありがとうございました。パンデミックとの共存が可能になったときに、顔を合わせて思い切りお話しましょう。それまでは、オンラインでつながっていきましょう。

　最後に現在のイギリス桂冠詩人、サイモン・アーミテッジ（Simon Armitage）がこのパンデミックの時代に捧げた詩、「何かがかちりと起動した（Something Clicked）」の最後の二行をこの本を手に取ってくださった皆さんに捧げることで、この小さな本の最後としたいと思います。

　　つながりをなくしちゃいけない
　　君が君自身の最高の創造になれる今この時に[103]

ルビ: 創造 → インベンジョン

103 Simon Armitage は2020年の National Poetry Day（10月1日）を記念して、イギリスの電気通信会社 BT の依頼を受け、この詩を書いた。全編に関しては、BT のホームページから以下を検索のこと。https://newsroom.bt.com/bt-and-poet-laureate-simon-armitage-unveil-something-clicked-a-reflection-of-life-in-2020-to-mark-national-poetry-day/（2020 年10月1日閲覧）。

引用参考文献

ここでは主に、書籍や論説（ウェブ版を含む）を中心に取り上げています。本文中で紹介した各団体に関しては、ホームページが開設されているものが多いので、検索なさることをお勧めいたします。なお、電子文献のURLはすべて2021年3月現在のものです。

[文化政策全般について]

＊日本

文化庁「文化芸術推進基本計画——文化芸術の『多様な価値』を活かして、未来をつくる——（第1期）」、2018年3月6日閣議決定。
https://www.bunka.go.jp/seisaku/bunka_gyosei/hoshin/pdf/r1389480_01.pdf

＊フランス

クサビエ・グレフ『フランスの文化政策——芸術作品の創造と文化的実践』、垣内恵美子訳、水曜社、2007年。

イヴ・レオナール『文化と社会——現代フランスの文化政策と文化経済』、植木浩監訳、八木雅子訳、芸団協出版部、2001年。

＊ドイツ

秋野有紀『文化国家と「文化的生存配慮」——ドイツにおける文化政策の理論的基盤とミュージアムの役割』、美学出版、2019年。

藤野一夫他『地域主権の国　ドイツの文化政策——人格の自由な発展と地方創生のために』、美学出版、2017年。

＊イギリス

アーツ・カウンシル・イングランドのウェブサイト
https://www.artscouncil.org.uk/

太下義之『アーツカウンシル——アームズ・レングスの現実を超えて』、水曜社、2017年。

武藤浩史他編著『愛と戦いのイギリス文化史——1900–1950年』、慶應義塾大学出版会、2007年。

川端康雄他編著『愛と戦いのイギリス文化史——1951–2010年』、慶應義塾大学出版会、初版第2刷、2013年。

河島伸子・大谷伴子・大田信良編『イギリス映画と文化政策——ブレア政権以降のポリティカル・エコノミー』、慶應義塾大

学出版会、2012年。

学校法人東成学園『独立行政法人日本芸術文化振興会　委託事業
　　イングランド及びスコットランドにおける文化芸術活動に対
　　する助成システム等に関する実態調査報告書』、2018年9月。
　　https://www.ntj.jac.go.jp/assets/files/kikin/artscouncil/
　　report20180930.pdf

─────『独立行政法人日本芸術文化振興会　委託事業　イング
　　ランド及びスコットランドにおける文化芸術活動に対する助
　　成システム等に関する実態調査報告書　別冊』、2018年9月。
　　https://www.ntj.jac.go.jp/assets/files/kikin/artscouncil/
　　bessatsu20180930.pdf

ロバート・ヒュイソン『文化資産──クリエイティブ・ブリテン
　　の盛衰』、小林真理訳、美学出版、2017年。

Hewison, Robert. *Culture and Consensus: England, Art and Politics
　　Since 1940*. Routledge, 2015.

Keynes, John Maynard. "The Arts Council: Its Policy and
　　Hopes." *The Collected Writings of John Maynard Keynes*. Ed.
　　by Donald Moggridge, vol.28, Macmillan, 1982.

Mulcahy, Kevin V. *Public Culture, Cultural Identity, Cultural Policy:
　　Comparative Perspectives*. Palgrave Macmillan, 2016.

＊パンデミックに際しての各国の芸術緊急支援に関して

藤井慎太郎「遅れ際立つ日本。世界各国の文化支援策まとめ」『美
　　術手帖』、ウェブ版、2020年4月1日。
　　https://bijutsutecho.com/magazine/news/headline/21598

─────「コロナウィルス時代の芸術。いま、何がなされるべき
　　か?」『美術手帖』、ウェブ版、2020年4月4日。
　　https://bijutsutecho.com/magazine/insight/21623

藤野一夫「論説:パンデミック時代のドイツの文化政策（1）」『美
　　術手帖』、ウェブ版、2020年5月20日。
　　https://bijutsutecho.com/magazine/insight/21937

─────「論説:パンデミック時代のドイツの文化政策（2）」『美
　　術手帖』、ウェブ版、2020年5月30日。
　　https://bijutsutecho.com/magazine/insight/22010

船越清佳「芸術大国フランスの音楽界は、新型コロナウィルスと
　　どう戦っているのか」ONTOMO、2020年3月28日。
　　https://ontomo-mag.com/article/column/coronavirus-france/

「東京から鳥取まで。行政によるアーティスト支援事業まとめ」

『美術手帖』、ウェブ版、2020年5月2日。
https://bijutsutecho.com/magazine/insight/21829

[パンデミックの中での差別問題と Black Lives Matter について]

（雑誌）

『現代思想　総特集　ブラック・ライブズ・マター』、2020年10月
臨時創刊号、青土社。

（新聞・ニュースの記事）

Cork, Tristan. "Bristol Project to Teach History of African Resilience in Schools Gets Big Arts Council Backing." *BristolLive,* 18 June 2020.
https://www.bristolpost.co.uk/news/bristol-news/bristol-project-teach-history-slavery-4239938

Pellerin, Ananda. "'My emotions were so raw': The people creating the art to remember George Floyd." *CNN Style*, 12 June 2020.
https://edition.cnn.com/style/article/george-floyd-mural-social-justice-art/index.html

Woodcock, Andrew. "Coronavirus: Home Office U-turns after Outrage at Exclusion of NHS Cleaners and Porters from Bereavement Scheme." *Independent,* 20 May 2020.
https://www.independent.co.uk/news/uk/politics/nhs-coronavirus-leave-remain-scheme-home-office-migrants-a9524881.html

Wright, Robin. "Is America's 'One Nation, Indivisible' Being Killed Off by the Coronavirus?" *The New Yorker*, 2 May 2020.
https://www.newyorker.com/news/our-columnists/is-americas-one-nation-indivisible-being-killed-off-by-the-coronavirus

（論文）

Jalal, Mustafa, et al. "Overseas Doctors of NHS: Migration, Transition, Challenges and towards Resolution." *Future Healthcare Journal*, vol.6, no.1, Feb. 2019, pp.76–81.

Marinaro, Isabella Clough and James Walston. "Italy's 'Second Generations': The Sons and Daughters of Migrants." *Bulletin of Italian Politics*, vol.2, no.1, 2010, pp.5-19.

（統計—イギリスにおける NHS 医療関係者の国籍）

Baker, Carl. *NHS Staff from Overseas: Statistics.* Briefing Paper of House of Commons Library, no.7783, 4 June 2020.
https://commonslibrary.parliament.uk/research-briefings/cbp-7783.pdf

（新型コロナウィルスと民族の消失の危機）

United Nations Web Site "COVID-19 and Indigenous Peoples."
https://www.un.org/development/desa/indigenouspeoples/covid-19.html

（テレビ・ラジオ番組）

Turning Point. （アメリカ、ABC ニュースの特集報道番組。2020年9月8日から1か月平日放送）。

TOKYO FM「村上 RADIO サマースペシャル〜マイフェイバリット・ソングス＆リスナーメッセージに答えます」、2020年8月15日のラジオ放送（16:00〜16:55）。

[公共芸術]

Cartiere, Cameron, and Shelly Willis, editors. *The Practice of Public Art.* Routledge, 2008.

Cartiere, Cameron, and Leon Tan, editors. *The Routledge Companion to Art in the Public Realm*, Taylor & Francis, 2020.

Knight, Cher Krause, Harriet F. Senie, and Dana Arnold, editors. *A Companion to Public Art.* John Wiley & Sons, 2016.

[ストリート・アートと文化]

大山エンリコイサム『アゲインスト・リテラシー：グラフィティ文化論』、LIXIL 出版、2015年。

――――『エアロゾルの意味論：ポストパンデミックの思想と現実――粉川哲夫との対話』、青土社、2020年。

――――『ストリートの美術――トゥオンブリからバンクシーまで』、講談社、2020年。

加藤薫『メキシコ壁画運動――リベラ、オロスコ、シケイロス』、平凡社、1988年。

Andron, Sabina. "Selling Streetness as Experience: the Role of Street Art Tours in Branding the Creative City." *The Sociological Review*, vol.66, issue 5, 2018, pp.1036-1057.

Bonadio, Enrico, editor. *The Cambridge Handbook of Copyright in Street Art and Graffiti*. Cambridge UP, 2019.

Ross, Jeffrey Ian, editor. *Routledge Handbook of Graffiti and Street Art*. Routledge, 2016.

（新聞記事、ニュース）

Borrelli, Christopher. "'Boards of Change' in Daley Plaza artfully repurposes this summer's plywood into voter registration booths." *Chicago Tribune*, 6 October 2020.
https://www.chicagotribune.com/entertainment/ct-chicago-voter-registration-booths-20201006-m6mjtw3jwvdvfimhbufqp3efk4-story.html

Cafe, Rebecca. "London 2012: Banksy and street artists' Olympic graffiti." BBC News, 24 July 2012.
https://www.bbc.com/news/uk-england-london-18946654

"Coronavirus street art-in pictures." *The Guardian*, 6 April, 2020.
https://www.theguardian.com/world/gallery/2020/apr/06/coronavirus-street-art-in-pictures

Kanno-Youngs, Zolan, Jennifer Steinhauer and Kenneth P. Vogel. "D.C.'s Mayor Fights for Control of Her City at Trump's Front Door." *The New York Times*, 5 June 2020 (Updated 6 Jan. 2021).
https://www.nytimes.com/2020/06/05/us/politics/muriel-bowser-trump.html

Wainwright, Oliver. "Olympic legacy murals met with outrage by London street artists."*The Guardian*, 6 Aug. 2013.
https://www.theguardian.com/artanddesign/2013/aug/06/olympic-legacy-street-art-graffiti-fury

（バンクシーについて）

ウィル・エルスワース＝ジョーンズ『バンクシー——壁に隠れた男の正体』、鈴木沓子他訳、パルコ出版、2020年。

鈴木沓子「バンクシーはなぜ『医療従事者への感謝』を風刺画に仕立てたのか？ パンデミックの表現とストリートの作法」『美術手帖』、ウェブ版、2020年5月11日。
https://bijutsutecho.com/magazine/insight/21829

バンクシーウェブサイト
https://banksy.co.uk

バンクシーの公式オンラインショップ、「グロス・ドメスティック・

プロダクト（Gross Domestic Product^{TM}）」のウェブサイト。
https://shop.grossdomesticproduct.com
（イギリスのストリート・アートプロジェクト）
＃PaintTheChange
https://www.paintthechange.me/
（日本のリーガル・グラフィティ・プロジェクト）
＃391045428（＃サンキュートーヨコシブヤ）、BAKERU、2020
年9月25日。
https://prtimes.jp/main/html/rd/p/000000013.000046840.
html
Legal Shutter Tokyo
https://legalshuttertokyo.tumblr.com/
（イースト・ロンドンの《ケーブル・ストリートの戦い》の壁画に
ついて）
"Cable Street Mural." *London Remembers: Aiming to capture all memorials in London.*
https://www.londonremembers.com/memorials/cable-street-mural
（イースト・ロンドンにて覆い隠されたROAの「鶴」をめぐって
の請願書）
"Save The Crane."
https://www.change.org/p/tower-hamlets-council-save-the-crane

[London 2012とTokyo 2020における「文化オリンピアード」]

＊ロンドンオリンピック・パラリンピック競技大会（London 2012）
国際オリンピック大会の公式ウェブサイトより https://www.olympic
.org/london-2012
（その影響）
Cohen, Phil and Paul Watt, editors. *London 2012 and the Post-Olympics City: A Hollow Legacy?* Palgrave Macmillan, 2017.
＊東京オリンピック・パラリンピック競技大会（Tokyo2020）
公式ウェブサイト　https://tokyo2020.org/ja/
＊東京オリンピック「文化オリンピアード」
東京文化資源会議編『TOKYO1/4と考えるオリンピック文化プロ
グラム──2016から未来へ』、勉誠出版、2016年。
文化庁資料「文化プログラムの実施に向けた文化庁の基本構想　〜

2020年東京オリンピック・パラリンピック競技大会を契機
とした文化芸術立国の実現のために〜」、2015年7月。

https://www.bunka.go.jp/seisaku/bunkashingikai/
seisaku/13/03/pdf/shiryo_4.pdf

———————「文化プログラムの実施に向けた文化庁の取組について
〜2020年東京オリンピック・パラリンピック競技大会を契機
とした文化芸術立国実現のために〜」、2016年7月。

https://www.bunka.go.jp/seisaku/bunkashingikai/
seisaku/14/02/pdf/shiryo1_1.pdf

公益財団法人東京オリンピック・パラリンピック競技大会組織委
員会「東京2020文化オリンピアードについて」2016年9月26
日発表資料。

https://www.kantei.go.jp/jp/singi/tokyo2020_suishin_
honbu/bunka_renkei/dai3/siryou4.pdf

———————「東京2020文化オリンピアードについて」2018年3月7日
発表資料。

https://www.bunka.go.jp/seisaku/bunkashingikai/
kondankaito/2020orimpikku_kondankai/pdf/r1403872_05.
pdf

＊イギリスのボランティア活動の歴史的背景

市瀬幸平『イギリス社会福祉運動史——ボランティア活動の源流』、
川島書店、2004年。

**[イギリスの創造産業と文化政策（[文化政策全般について]の文
献と併せて参考にしてください）]**

＊創造産業について

Giddens, Anthony. *The Third Way: The Renewal of Social
Democracy*. Polity Press, 1998.（アンソニー・ギデンズ『第
三の道——効率と公正の新たな同盟』、佐和隆光訳、日本経
済新聞出版、1999年。）

リチャード・フロリダ『クリエイティブ・クラスの世紀——新時
代の国、都市、人間の条件』、出口典夫訳、ダイヤモンド社、
2007年。

Hartley, John, editor. *Creative Industries*. Blackwell Publishing,
2005.

Leonard, Mark. *Britain^{TM}: Renewing Our Identity*. Demos, 1997.

http://demos.co.uk/files/britaintm.pdf?1240939425

＊「文化リーダーシップ」について

Hewison, Robert. *What is the point of investing in cultural leadership, if cultural institutions remain unchanged?—Not a Sideshow: Leadership and Cultural Value: A matrix for change.* Demos, 2006.
　　　https://culturehive.co.uk/wp-content/uploads/2013/04/Demos-Leadership-and-cultural-value1.pdf

Hewison, Robert and John Holden. *The Cultural Leadership Handbook: How to Run a Creative Organization.* Routledge, 2011.

＊イギリスのディジタル・文化・メディア・スポーツ省の創造産業に関しての報告書

Creative Industries Mapping Documents 1998.
　　　https://www.gov.uk/government/publications/creative-industries-mapping-documents-1998

Creative Industries Mapping Documents 2001.
　　　https://www.gov.uk/government/publications/creative-industries-mapping-documents-2001

"Classifying and Measuring the Creative Industries: Consultation on Proposed Changes." April 2013.
　　　https://assets.publishing.service.gov.uk/government/uploads/system/uploads/attachment_data/file/203296/Classifying_and_Measuring_the_Creative_Industries_Consultation_Paper_April_2013-final.pdf

"DCMS Creative Industries SIC Codes（2015）".
　　　http://www.erdfconvergence.org.uk/_userfiles/files/DCMS_Creative_Industry_SIC_codes.pdf

＊ロンドンにおける創造産業の報告書

Locks, Christopher. *London's Creative Industries—2017 Update.* Greater London Authority, July 2017.
　　　https://www.london.gov.uk/sites/default/files/working_paper_89-creative-industries-2017.pdf

［まちづくりと創造都市］

佐々木雅幸『創造都市への挑戦——産業と文化の息づく街へ』、岩波書店、2012年。

佐々木雅幸総監修『創造社会の都市と農村—— SDGsへの文化政策』、水曜社、2019年。

Landry, Charles. *The Art of City Making*. London: Sterling, VA: Earthscan, 2006.

[創造力と芸術の意義について]

ステファン・コリーニ『回顧する想像力——イングランドの批評と歴史』、近藤康裕訳、みすず書房、2020年。

横山千晶「共にいるということ——居場所『カドベヤで過ごす火曜日』——」、『質的心理学フォーラム』、vol.9、2017、14 –22頁。

ジョン・ラスキン『ゴシックの本質』、川端康雄訳、みすず書房、2011年。

Ishiguro, Kazuo. *Never Let Me Go*. Faber and Faber, 2005.（カズオ・イシグロ『わたしを離さないで』、土屋政雄訳、早川書房、2006年。）

Williams, Raymond. *Keywords: A Vocabulary of Culture and Society*. Revised Edition. OUP, 1983. （レイモンド・ウィリアムズ『完訳 キーワード辞典』、椎名美智他訳、平凡社、2002年。）

Passy, Charles. "New York Philharmonic Takes Show on the Road", *The Wall Street Journal*, 30 Aug. 2020.

[その他の統計―日本の労働力調査]

総務省統計局ウェブサイト「労働力調査（基本集計）2020年（令和3年）1月分結果」2021年3月2日公表。

https://www.stat.go.jp/data/roudou/sokuhou/tsuki/index.html

[その他本著で言及されている文献]

＊パンデミック化におけるニューヨーク・フィルハーモニックのメンバーの努力

Passy, Charles. "New York Philharmonic Takes Show on the Road." *The Wall Street Journal*, 30 Aug. 2020.

＊イギリスの桂冠詩人、サイモン・アーミテッジが2020年に書いた詩

Armitage, Simon. "Something Clicked."

https://newsroom.bt.com/bt-and-poet-laureate-simon-armitage-unveil-something-clicked-a-reflection-of-life-in-2020-to-mark-national-poetry-day/

刊行にあたって

　いま、「教養」やリベラル・アーツと呼ばれるものをどのように捉えるべきか、教養教育をいかなる理念のもとでどのような内容と手法をもって行うのがよいのかとの議論が各所で行われています。これは国民全体で考えるべき課題ではありますが、とりわけ教育機関の責任は重大でこの問いに絶えず答えてゆくことが急務となっています。慶應義塾では、義塾における教養教育の休むことのない構築と、その基盤にある「教養」というものについての抜本的検討を研究課題として、2002年7月に「慶應義塾大学教養研究センター」を発足させました。その主たる目的は、多分野・多領域にまたがる内外との交流を軸に、教養と教養教育のあり方に関する研究活動を推進して、未来を切り拓くための知の継承と発展に貢献しようとすることにあります。

　教養教育の目指すところが、単なる細切れの知識で身を鎧うことではないのは明らかです。人類の知的営為の歴史を振り返れば、その目的は、人が他者や世界と向き合ったときに生じる問題の多様な局面を、人類の過去に照らしつつ「今、ここで」という現下の状況のただなかで受け止め、それを複眼的な視野のもとで理解し深く思惟をめぐらせる能力を身につけ、各人各様の方法で自己表現を果たせる知力を養うことにあると考えられます。当センターではこのような認識を最小限の前提として、時代の変化に対応できる教養教育についての総合的かつ抜本的な踏査・研究活動を組織して、その研究成果を広く社会に発信し積極的な提言を行うことを責務として活動しています。

　もとより、教養教育を担う教員は、教育者であると同時に研究者であり、その学術研究の成果が絶えず教育の場にフィードバックされねばならないという意味で、両者は不即不離の関係にあります。今回の「教養研究センター選書」の刊行は、当センター所属の教員・研究者が、最新の研究成果の一端を、いわゆる学術論文とはことなる啓蒙的な切り口をもって、学生諸君をはじめとする読者にいち早く発信し、その新鮮な知の生成に立ち会う機会を提供することで、研究・教育相互の活性化を図ろうとする試みです。これによって、研究者と読者とが、より双方向的な関係を築きあげることが可能になるものと期待しています。なお、〈Mundus Scientiae〉はラテン語で、「知の世界」または「学の世界」の意味で用いました。

　読者諸氏の忌憚のないご批判・ご叱正をお願いする次第です。

慶應義塾大学教養研究センター所長

横山千晶（よこやまちあき）

慶應義塾大学法学部教授。慶應義塾大学大学院文学研究科博士課程修了。専門は19世紀のイギリス文化。ヴィクトリア朝に始まった芸術と生活の融合と、コミュニティ構築に果たす芸術の役割をテーマとして、研究と実践を重ねている。

訳書に、ウィリアム・モリス著「ジョン・ボールの夢」（晶文社、2000年）、ジョージ P・ランドウ著「ラスキン——眼差しの哲学者」（日本経済評論社、2010 年）。著作に「愛と戦いのイギリスの文化史——1900 – 1950年（共著、慶應義塾大学出版会、2007年）、「愛と戦いのイギリス文化史——1951 – 2010年」（共著、慶應義塾大学出版会、2011年）、「芸術と福祉——アーティストとしての人間 」（共著、大阪大学出版会、2009年）、『ジョン・ラスキンの労働者教育——「見る力」の美学』（慶應義塾大学教養研究センター、2018年）などがある。

毎週火曜日に、横浜市中区石川町で、「共に表現すること」と「共に食べること」を中心とした小さな居場所、「カドベヤで過ごす火曜日」を運営する一人として、暮らしの中の芸術の意義を仲間と共に模索している。

慶應義塾大学教養研究センター選書21

コミュニティと芸術
——パンデミック時代に考える創造力

2021 年 3 月 31 日　初版第 1 刷発行

著者————————横山千晶
発行————————慶應義塾大学教養研究センター
　　　　　　代表者　小菅隼人
　　　　　　〒223–8521　横浜市港北区日吉4–1–1
　　　　　　TEL：045–563–1111
　　　　　　Email：lib-arts@adst.keio.ac.jp
　　　　　　http://lib-arts.hc.keio.ac.jp/
制作・販売所——慶應義塾大学出版会株式会社
　　　　　　〒108–8346　東京都港区三田2–19–30
装丁————————斎田啓子
印刷・製本———株式会社 太平印刷社

慶應義塾大学教養研究センター選書

すべて定価770円（本体価格700円）です。